オーナー社長は
あなたを待っている！

ウィズコロナ時代の税理士を超える

大田式

法人保険販売術

ニッケイ・グローバル株式会社
代表取締役　大田 勉

はじめに

コロナ禍でも法人保険が売れるわけ

今、世界中が新型コロナウイルスに翻弄されています。生命保険業界においては、2019年2月のバレンタインショックから立ち直る間もなく、ウィズコロナ時代に突入しました。

お客さまと会えないことを理由に、動きが止まってしまっている保険営業パーソンもいることでしょう。オンラインでセミナーや相談会をするにしても、お客さまのベネフィットに訴えかけるキーワードが入っていないとインターネットの情報に埋もれ、お客さまはそこにたどり着けません。

そのキーワードとは、いったい何でしょう？

日本経済は中小企業によって支えられています（第1章21ページ参照）。コロナ禍であろうとなかろうと、中小企業のオーナー社長が抱えている潜在的な悩みや痛みは、昔から少しも変わっていません。

社長の責任は、事業継続。
社長の関心事は、お金。
お金がなければ、黒字でも倒産します。

事業継続が不可能だと、会社は倒産、従業員は解雇、取引先にも迷惑がかかるし、社長個人は家屋敷を失うかもしれない。どんな経営環境であっても、会社や社長個人にお金があれば、事業を継続することができます。

オーナー社長には社内に味方はいません。社長がお金のプロだと思っている顧問税理士や銀行マンは、会社の決算書は見ても、社長個人のライフプランに興味はありません。

私はそんなオーナー社長に寄り添い、会社と社長が一体であるという視点からアプローチし、社長の手取りを増やすことに貢献して信頼を勝ち得てきました。コロナ禍においても、法人と社長個人の保険をダブルでご契約いただいています。ウィズコロナ時代だからといって私はやり方を変えていませんし、社長の悩みも変わっていません。

昔から「可処分所得を増やす」セミナーを行うと、かなりの集客がありました。今は単に節税だけでなく、手元資金の確保、お金を残しておきたいというニードが優先順位の上位なので、より話を聞いてもらえる環境となっています。

生命保険は圧倒的な問題解決のツールです。

社会情勢が変わったとしても、適正な生命保険を必要としているオーナー社長は必ずいます。生命保険こそ、会社と社長と社長ファミリーを守る最強の金融商品だと、私は確信しています。

この本を手に取ってくださった保険営業パーソンのあなたに、私は言いたい。

「**法人マーケットから去るな！**」

今、法人保険マーケットはチャンスです。
あなたを待っているオーナー社長がいます。

節税保険が売れないから法人保険は終わった……そんなことは、絶対ありません。

本書では、オーナー社長とはどのような存在なのかを詳しく解説し、社長に寄り添う考え方や、私が考案した「会社と社長の手取りを増やす手法55連発」の中から、すぐにでも活用できる「有事平時に役立つ大田式６連発」をご紹介しています。

中小企業のオーナー社長の元氣（＊）は、日本の元氣です。

ぜひ、生命保険活用でオーナー社長の悩みを解決し、日本の元氣に一役買っていただきたい。

あなたの法人保険販売が、社長や社長ファミリー、従業員、取引先、そしてあなた自身……すべての人に幸せをもたらすことを、切に願っています。

２０２０年９月　大田　勉

＊元氣……八方にエネルギーが広がるという意味で氣を使用。

もくじ

第1章　法人保険に真のチャンス到来！

1　有事平時に強い法人保険

法人マーケットには、必要となれば高額な保険料を払い続けられるお客さまがいます。それは日本経済を支えている中小企業のオーナー社長です。

有事でも平時でも、オーナー社長の悩みを解決できる法人保険は、多くの社長に必要とされています。

■有事にこそ、行動を！

これまで私は、数多くのオーナー社長に出会ってきました。自ら会社を所有し、社長として経営に携わっている人たちです。

オーナー社長とひと口に言っても、個人事業主と大差ない社長から売上が数百億円という企業の社長まで、業種も規模もさまざまですが、社長の多くが自分と会社を一体とみなしています。

会社を発展させ続けるために、考え、行動する。

大きく成長させることができれば資産家となり、逆に事業に失敗すると社長個人のお金を持ち出してでも会社を立て直さなければいけないのが、オーナー社長です。

私は、そんなドラマチックな人生を生きるオーナー社長に魅力を感じています。オーナー社長に寄り添い、法人保険を活用して、会社の財務体質を強化し、社長の手取りを増やし、ひいては会社の売上アップや成長に寄与することをモットーに活動してきました。

今、オーナー社長にとって有事です。

予想予測のつかない時代の幕開けです。

いったい、誰がこのような事態を想像したでしょう。

２０１９年12月、中国の武漢市で最初の症例が確認されて以降、新型コロナウイルスの世界的な感染拡大が続き、日本国内でも2020年4月に史上初の緊急事態宣言が発令されました。

不要不急の外出は自粛、学校も休み、仕事は在宅ワーク……国内の生産や消費の低迷で、経済が大打撃を受けています。

日本政府は事業規模約117兆円の大型経済対策を打ち出しましたが、新たな借金をしても返済できる見込みがなければ、事業継続はできません。

今後、廃業や倒産に追い込まれる会社の増加が懸念されます。

日本だけではありません。

世界は今、未曽有の危機に立たされています。

新型コロナウイルスのまん延によって経済活動が凍り付き、1929年に始まった世界大恐慌以来、最悪な「コロナ大恐慌」が起こる可能性があります。一時ウイルスを封じ込め収束に向かったとしても、第二波、第三波にも備えなければなりません。

社会の大部分が停滞しました。しかし人が生きていくうえで、これを長期に持続させることは不可能です。

コロナが収束したら……アフター・コロナでは遅すぎます。

ウイズ・コロナ……コロナ禍において対策を講じなければなりません。

この緊急時に、オーナー社長にどう寄り添えるのか。

今、私たち保険営業パーソンが行動を起こすときなのです。

■全国のオーナー社長とＺｏｏｍ面談

有事の取組みとして、みなさんは何をされていますか？

もう取り入れた人も多いと思いますが、Ｚｏｏｍはいいですよ。

Ｚｏｏｍはパソコンやスマートフォンを使い、オンラインでセミナーや会議を行うために開発されたアプリで、世界中どこからでも参加でき、非接触で情報提供、情報交換ができます。

私は、新型コロナウイルス感染拡大に伴う緊急事態宣言が発令されたとき、いち早くＺｏｏｍを取り入れました。
Ｚｏｏｍでオンラインセミナーを開催し、個別相談もＺｏｏｍで行います。午前中は札幌の社長、午後は鹿児島の社長、夕方は兵庫の社長……どんなに離れていても、Ｚｏｏｍなら顔を見ながら話せます。互いに自宅でというケースもあるので、時間も朝7時や夜10時とまちまちで、社長の奥さま（専務）が飛び入り参加されることも。

オンライン面談で大切なことは、自分がどのようなファイナンシャルプランナーなのかを明確に示すことです。

何が得意分野なのか。
どんな問題解決ができるのか。

これを明確化しなければ、面談相手は何をあなたに相談すればいいのかが、わかりません。

面談目的はただ一つ。相手に保険契約をしてもらうことです。

保険を売るために、保険で問題解決ができることをアピールします。このとき保険という言葉を使ってはいけません。問題解決する手段が、たまたま生命保険であるというスタンスで行うといいでしょう。

私のテーマは『会社と社長にお金を残す55連発』です。

会社と社長にお金を残す55の手法があるので、その中から面談相手の問題解決にあった手法を提案します。

もちろん、その手法は生命保険活用であることは言うまでもありません。

オーナー社長はお金の相談相手を探しています。

ファイナンシャルプランナーとは、お金のプロです。どの分野でどんな問題解決ができるのかが明確になれば、面談件数も増えてきます。

あなたのファイナンシャルプランナー個性を、しっかりと確立しておきましょう。

今、世界中が混乱しています。

新型コロナウイルスの感染拡大を受け、政府がさまざまな緊急経済施策を打ち出しています。

いろいろな情報やニュースが流れていますが、一喜一憂しないでください。決まった事実があれば、それをすばやくキャッチして情報発信していく。

それが、私たちファイナンシャルプランナーの役目だと思います。

■法人保険一つでＭＤＲＴに

私の法人保険販売のきっかけは、経営コンサルタントとタッグを組んだことです。

経営コンサルタントと一緒に顧客へ行き、オーナー社長の問題解決に役立つ提案をすると、いきなり４千万円の保険契約が取れました。

１件で、ＭＤＲＴですよ。

これが、法人保険の醍醐味です。

日本経済は、中小零細企業が支えていると言っても過言ではありません。中小企業は、日本の全企業数のうち99・7パーセントを占め、雇用の約7割を占めています。（図①参照）

中小企業には、私たちの生活に密着したサービス提供を行う会社もあれば、高い技術力を持ち世界で活躍する会社や、地域の伝統や特性を活用し文化の担い手となっている会社などが存在します。

日本を、地域を、より元氣にする。その原動力となるのは、日本経済を支える中小企業に他なりません。その中小企業の多くは、オー

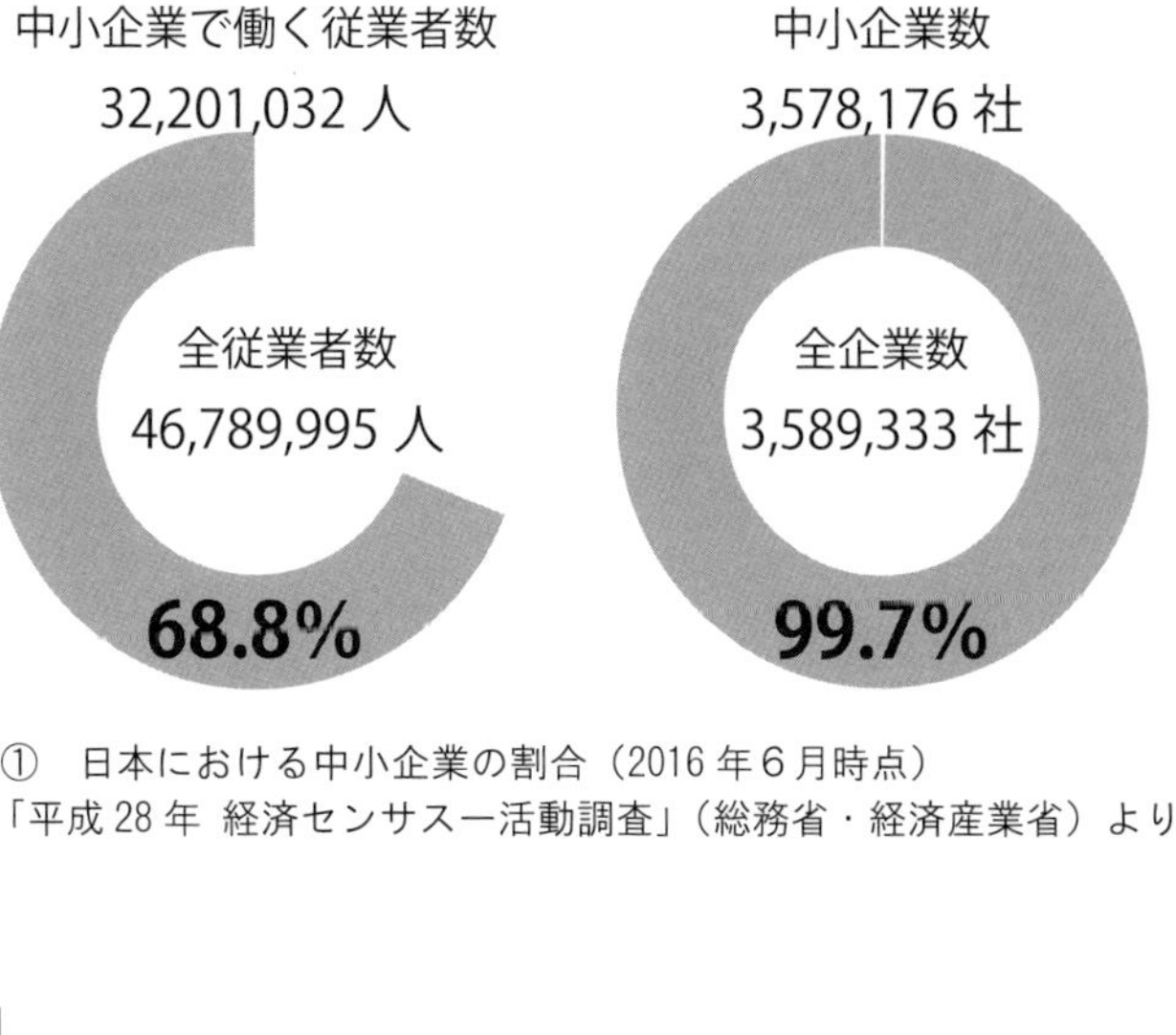

図①　日本における中小企業の割合（2016 年６月時点）
「平成 28 年 経済センサス―活動調査」（総務省・経済産業省）より

ナー社長が経営しています。

会社と社長が一体であるオーナー社長は、自分の生き方を会社で体現しています。事業を継続し会社を発展させることに、全力を尽くしているのです。

そのオーナー社長の悩みを、あなたが解決できるのなら、社長のひと言で保険契約は決定します。

「こんなこと誰も教えてくれなかったよ、ありがとう」

法人保険契約が取れて、感謝までされる。

コントリビューション＝コミッション

お客さまへの貢献度が高いと、高い報酬が得られる。

保険業界ではよく耳にする言葉ですが、私は実感しています。

法人マーケットには、高い保険料を払い続けられるお客さまがいます。それは経営者やドクターや資産家たちです。

ビジネスは価値と価値の交換です。

問題解決＝高額保険料

問題解決できるのなら、納得して高額な法人保険に加入する。

オーナー社長の悩みは、有事でも平時でも変わりません（26ページ参照）。社長に寄り添い、痛みを共有し、問題を解決する手段として保険を活用する。法人保険は、それができるツールです。

オーナー社長は、納得しさえすれば高額な保険料を支払ってくれる顧客です。

ここに法人保険販売の魅力があります。

そしてオーナー社長がいるかぎり、有事にも平時にも必要とされるのが法人保険なのです。

2　オーナー社長は会社と一体

法人保険販売の成功の秘訣は、オーナー社長との心理戦に強くなることです。そのためには相手を知ることが重要です。社長とは、世間の荒波にもまれ会社を存続させてきた人物で、ひと筋縄ではいきません。

会社と一体であるオーナー社長は、どのような存在なのかをみていきましょう。

■オーナー社長は超ハイリスク請負業

法人保険は誰が買うのでしょう。

会社ですね。会社が保険料を支払い、法人保険に加入します。

しかし会社に意思はありませんから、契約をするかしないかの決定は、経営者であるオーナー社長にゆだねられています。中小企業においてオーナー社長とは、会社における意思決定を行う人物だと言えるでしょう。

では、社員と社長はどのような違いがあるでしょうか。

社員は、給料を受け取り働く人。

社長は、会社組織の頂点にいる人。

このようなイメージでしょうか。

社員は働いて給料を受け取る権利があり、給料支払いは会社の義務だと労働基準法第24条で定められています。どんなに経営不振であろうとも、会社は社員に給料を払わなければなりません。

一方、経営悪化で会社にお金がないと、社長は給料をもらえないばかりか、家屋敷を売却してまで会社を立て直さなければなりません。

社長は会社経営に、自分の資産や人生を賭けています。

社員は月末に給料が入ることを疑いません。

社員と社長では、責任の重さが違います。

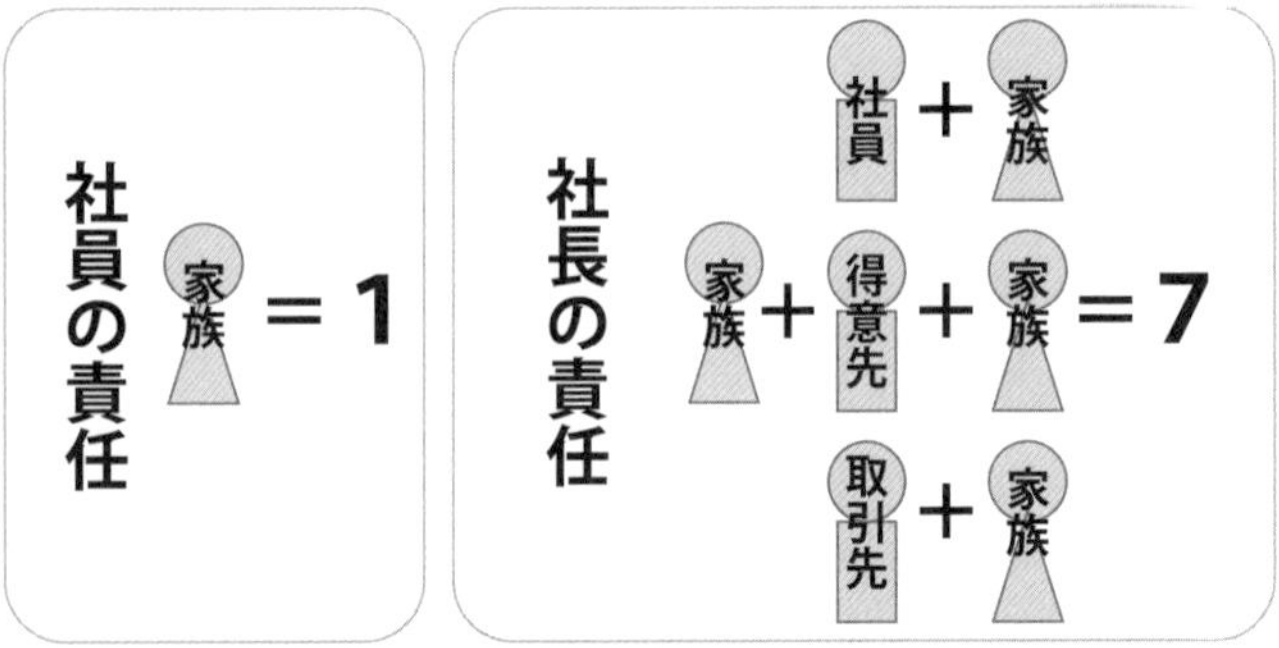

図②　オーナー社長は社員の7倍、責任が重い！

社員の責任を1とすると、社員1に対し社長は7倍以上もの責任があることになります。

社員が増えれば増えるほど、得意先や取引先が増えれば増えるほど、責任は重くのしかかってきます。

社長は、超ハイリスク請負業だと言えるでしょう。

■社長の悩みは今も昔も変わらない

オーナー社長の責任は「事業を継続すること」です。

事業継続ができないと、会社は倒産、社員は解雇、得意先にも取引先にも迷惑をかけてしまいます。特に外部に支払うための現金がなければ、会社は倒産します。黒字でも倒産するケースがあります。

事業継続に必要なものは、お金です。

お金があれば事業が続けられ、社員や得意先、取引先を守ることができるのです。

お金は社会貢献のツールであり、オーナー社長が戦うため、そして守るための鎧です。

会社を大きくすることに尽力し、会社が大きくなった。しかし、そのために悩むこともあります。

相続、事業承継です。

自分が創業した会社でも、親から受け継いだ会社でも、代々続いてきた会社でも、後継者に引き継いでもらいたいと願うのは、経営者としては当然のことだと思います。自分の子どもが後継者になってくれれば、これ以上の喜びはないでしょう。

しかし後継者へ承継するときに、自社の株式や不動産に対して多額の税金が課せられると、会社の運営がスムーズに進まなくなります。

会社を大きくしたがゆえの、悩みです。

社長の高齢化が進んでいます。

帝国データバンクによると、全国の社長平均年齢は59・9歳（2019年）で過去最高となりました。経営者の平均年齢は年々上がってきています。

年商規模別では、「1億円未満」の社長平均年齢は61・1歳と最も高く、「5百億円以上」が60・4歳で、ともに60歳を超えています。年代別の分布では、年商「5百億円以上」の社長の半分以上が60代。また年商「1億円未満」の70代と80歳以上の社長の割合は、ほかの年商規模と比べて高く、小規模な企業ほど社長の高齢化が顕著となっています。

このデータからもわかるように、**あと数年で多くの会社が事業承継のタイミングを迎える**と考えられます。

■自慢する社長にひと言

中小企業のオーナー社長には、印象的な人物がたくさんいます。

社長ほど波乱万丈な人生を歩んでいる人はいませんし、人生の荒波をくぐり抜けて現在があるのですから、彼らとの会話はひと筋縄ではいきません。

オーナー社長の中でも、特に好き嫌いの明暗が分かれるのが、自慢する社長です。

「おれは、この業界でどこよりも儲けてる」

「うちの売上はすごいんだよ」

「新規事業で、何億と儲けた」

「次に出す支店は、駅前の一等地だからね」

ビジネス成功事例は、話している本人にとっては気持ちいいものかもしれませんが、自慢話にしか聞こえないこともあり、うんざりすることもしばしばですね。

さて、オーナー社長の自慢話を聞いたときに、あなたはどう反応しますか？

「すごいですね」

こう言ってはいけません。

「大変ですね」

と言わなければいけません。

事業を立ち上げ、経営に尽力し、儲かった。そこで事業を拡大し、人もたくさん雇い、支店ができる。投資し次のステップに行こうとすると、それだけリスクが増えていきます。会社が大きくなるということは、それだけ社長の責任が重たくなるということです。

「大変ですね。私が社長のリスク回避の味方になります！」

このひと言で、社長のあなたへの評価が変わります。

事業拡大し会社を大きくすると、足元をすくわれることも多くあります。リスクがあったとしても、お金があれば事業の継続が可能です。どんなに強がっていても、大きなリスクを背負って生きているのがオーナー社長。カッコつけて自慢していても、社長は痛みを抱えています。

リスクを負って一所懸命生きている社長のお役に立ちたいという、あなたの誠意を伝えましょう。

「社長はハイリスク請負業です。いろいろな手を打たれているとは思いますが、お金は会社と社長を守る鎧です。会社と社長にお金を残していく手法があるのですが、一度試してみませんか？」

あなたがこう語れば、オーナー社長は自分の痛みを理解してくれていると感じて、心を開いてくれるでしょう。

■社長は孤独

オーナー社長は、会社の中に味方はいません。

社員たちや身内でない役員は、毎月くる給料日を楽しみにしています。給料を受け取ることは、働き手の当然の権利ですから。

しかしオーナー社長は、報酬月額百万円と定めていても、会社にお金がなければもらえません。会社と一体であるがゆえの痛みです。

お金のプロといえば、ほとんどの社長は、税理士や銀行マンだと思っています。

では、税理士や銀行マンは、会社と社長にお金を残す対策をしているでしょうか。

実は、顧問税理士や融資元の銀行マンはほとんど頼りになりません。彼らは会社の帳簿は見ていますが、社長個人のライフプランに興味がないからです。

彼らは社長の家族構成を知らないし、社長の生活に無関心です。社長のライフプランや、次世代のことなど考えていません。

そんな税理士や銀行マンが、社長のアドバイザーとして頼りになるでしょうか。


私たちは、ライフプランを支援するファイナンシャルプランナーです。ライフプラン支援業という立場で、社長の人生に寄り添います。会社と社長個人にお金を残し、社長のライフプランの実現と事業の継続に寄与します。

とても有意義な仕事ではないでしょうか。

■社長は短気

中小企業のオーナー社長は、会社のトップに立つ人間として、社員の業務を見守るのが仕事だと考えられがちです。

でも、それだけではありません。

一見暇そうな社長（失礼）でも、常にアンテナを張り巡らせ、朝から晩まで会社の将来について考えています。

オーナー社長と面談するということは、そんな社長の時間を使うことになります。「保険を見直しましょう」と言ったところで、社長はまったく聞く耳を持ってはくれません。基本的に社長は、自分と会社の利益になる話にしか、興味がないからです。

社長が欲しいのは情報。

社長に必要なのは裁量権。

社長は短気です。

経営は意思決定の連続で、即座に決定を下す必要があるからです。また社長の意思決定によって浮き沈みするのが会社です。

社長はまとめた選択肢の中から、意思決定をしたいのです。

「簡潔な選択肢を教えて、選ばせてくれ」

ということです。

数ある情報のポイントを押さえ要約します。対策として選択肢を3つほど用意します。

例えば、既契約の節税保険について相談を受けたとします。

過去に節税保険加入を決定したのは社長自身ですが、節税保険をすすめたのは税理士もしくは銀行マンかもしれません。当時は利益を繰り延べすることで節税できてよかったのでしょうが、コロナの影響で経営環境が変化し、節税保険を続けるかやめるか悩みどころでしょう。

保障は必要だけど、高額な保険料の支払いが困難だし、現金が欲しい。

ここでのポイントは、ほとんどの社長や税理士が「保険は続けるか解約のどちらかしかない」と思っているところです。

そこで選択肢を３つに要約します。

どうしたいのか→手法

①保障は同額残し保険料を減らしたい→保険期間短縮など

②保障は減少しても保険料を減らし現金と利益が必要→部分解約（効果的な解体）

③保障はそのままで今すぐ現金だけが必要→契約者貸付

難しい説明はいりません。

社長は、今すぐの対策を求めています。社長が説明を要求したときに、詳しく教えるといいでしょう。

この緊急事態にどう対処できるのか。

経営環境が変化しても、社長に寄り添って、臨機応変に選択肢を提供し、社長が経営判断・意思決定できる内容を提示できる人が、社長のお金のブレーンとなります。

3　社長が前のめりになるアプローチ法

オーナー社長は、保険に興味がありません。

そこで「保険」という言葉を使わないで、いかにオーナー社長のハートをつかむのかが重要になります。

有事でも平時でも変わらないオーナー社長の悩みを保険で解決できるとわかれば、社長は熱心に、あなたの話に耳を傾けるでしょう。

■見込み客の開拓……と、その前に

あなたは、お客さまをどのように獲得していますか？

保険業界では「紹介が紹介を生む」（ＸＹＺ理論）と言われますが、私の場合はまっ

たくダメでした。

当初、私は個人保険販売をしていました。紹介されたお客さまに会いに行き、保険の良さを伝えれば伝えるほど、どんどんお客さまの心は離れていくのです。

紹介営業で、どんどん負のスパイラルに陥ったのでした。


今考えると、当時の私は武器を持っていませんでした。

保険販売は見えない商品「保険」を売ります。

使うかどうかもわからない保険を売るのですから、相手は警戒します。ましてや、知人に紹介された見知らぬ営業マンとなると不信感も持つでしょう。武器がなければ、相手は次には会ってくれません。


武器とは、得意分野です。

この分野なら、誰にも負けないという自信です。

見込み客の開拓よりも前に、**知識やノウハウを勉強し、あなたが「学んだことを伝えてみたい」という強い想いがあることが大前提**です。

私の場合は『可処分所得をトコトン増やす方法55連発』が、武器であり得意分野です。

「55の手法で手取り収入を増やせます。知りたくないですか？」

55連発を考案してからというもの、誰かに伝えたくて伝えたくて……。

「そんな方法があるなら、もっと教えて」

「他の人にも教えてあげてほしい」

次々に面談約束ができ、さらに紹介をいただけるようになりました。

武器なんてわからない……それなら、ぜひ『55連発』のうち、本書に掲載している『有事平時に役立つ大田式6連発』（第3章）を試してみてください。

初めは丸暗記でもいいから、何回も練習して自分のものにしてください。スラスラと口をついて出るようになれば、あなた自身の武器となるでしょう。

■法人保険の顧客開拓

あなたは武器を手に入れました。得意分野を身に付けて、誰かに伝えたくて、伝えたくて、うずうずしています。

さあ、オーナー社長に出会う機会を積極的に作りましょう。

まずは、あなたの個人保険の既契約者に声をかけてみましょう。

昨今は、資本金１円からでも株式会社を設立することができるので、既契約者の周辺で起業家や経営者がいることでしょう。馴染みのショップやレストランも小規模企業かもしれません。

既契約者を通じて、あなたの得意分野を武器にプレゼンテーションを行いましょう。「知り合いの社長の役に立ちそうだ」と感じれば、その人たちが紹介者となって経営者に出会うことがあります。

また、経営者の集まりに顔を出すことも大切です。

私もいろんな交流会や勉強会に参加して、そこでオーナー社長と知り合うこともありました。

出会った社長に名刺を渡すときには、工夫が必要です。

保険営業パーソンには、保険会社に所属している人もいれば、代理店に所属している人もいる。私はニッケイ・グローバル株式会社という、一見何をしているのかわからない怪しい社名の名刺ですが、大抵の保険営業パーソンはソニー生命とかジブラルタ生命とか……名刺を見ると保険屋ということが即、わかります。

「お前、保険屋やろ」

にべもなく返されることもあります。

そこで、**名刺を渡しながらの自己紹介が重要**になってきます。

「ハイリスク請負業である社長のお役に立ちたいと、会社と社長個人にお金を残す方法を研究し学びを深めていくうちに、今は社長のお金を守るコンサルタントをして活動させていただいています」

いつも私はこのような枕詞をつけて名刺を渡します。

名刺には、

会社と社長の手取りを増やす手法『55連発』考案者

「社長のライフプラン研究会」会長

と印刷されています。

私たちがオーナー社長と出会う目的は、次に会う約束をすることです。

オーナー社長は、同業者に敏感です。同業者の社長がしている対策で成功した事例を知りたいと思っています。

そこで次に会うための会話のポイントは、

「社長、可処分所得を増やす方法を知っていますか？　お役に立てた事例があるんです」

と**成功例があることをほのめかす**こと。具体的なことは言わず、次に会うためのアプローチとしてこの言葉を使います。

一度詳しく聞いてみたいと相手に思わせることが重要です。

●プロフィール
1963年大阪府生まれ。関西学院大学卒業
生命保険営業マン時代、保険営業界のMDRT 終身会員であり、最高峰の TOT資格１回（日本の保険営業マン３０万人のトップ 0.01％に相当）、次のランクのＣＯＴ資格４回を獲得。
国際税務の仕組みや生命保険や海外金融商品を活用、税理士や銀行マンからは聞けない手法や裏ワザを用い、お金を守って、堅実に殖やすアドバイスが真骨頂。
起業家・発明家を応援する投資銀行を作るのが夢。大手コンサルティング会社、保険会社、JA、不動産会社などで講演多数。
●経営理念
ハイリスク請負業の中小零細企業の経営者に寄り添い、事業継続するため、財務体質強化、経営者の可処分所得増大に役だつ、その企業の売上アップ・成長に寄与する
●所属・役職
Nikkei Global Inc. 取締役（米国法人）
一般社団法人ほほえみ信託協会　理事
全国共済農業協同組合連合会　認定講師
一般社団法人日本相続学会 関西事務局
ビーウィズコンサルティング株式会社　認定生命保険士
チーム★売上アップ研究会 認定講師
法人クレカ・マイル研究会　認定講師
●コンサルティング業務内容
企業財務強化・経営者の可処分所得 UP
円満かつ円滑な相続・事業承継
国内外資産運用・米国不動産投資・米国留学
「金融商品・不動産活用５５連発！」
●講演内容
「社長の可処分所得をトコトン増やす具体策」
「資産を上手に譲る・残す・分ける具体策」
「会計事務所のための保険活用５５連発」
「社長のマネー塾　負けにくい投資のコツ」
「法人クレカ・マイル最適最大活用術」

会社と社長の手取りを増やす手法"５５連発"考案者
「社長のライフプラン研究会」会長
代表取締役
ファイナンシャル・プランナー・講師
法人クレカ・マイル研究会　認定講師
大田　勉
ニッケイ・グローバル株式会社
http://www.nikkei-global.com/
〒550-0005 大阪市西区西本町
TEL:
FAX:
Mobile:
E-mail:ota55@nikkei-global.com
Partner:Nikkei Global Inc. http://nikkeiglobal.com/
大田勉

名刺の表裏は
余すところなく活用！

名刺や自己紹介を工夫し、会話をコントロールして、社長に「おや、ただの保険営業マンとは違うな」と感じさせましょう。

■オーナー社長の関心事

オーナー社長の日々忘れることのない関心事は、何でしょう。

「保険を見直しましょう」そう言っても、社長は見向きもしません。禁句です。

儲かっている会社には、紹介や商売上のご縁で「保険の見直し」を提案してくる営業マンがたくさんいます。

これは、ゴルフが趣味の社長にテニスラケットを売りに行くようなものです。テニスラケットの良さをいくら伝えても、ゴルフにしか興味がないので聞く耳を持ちません。

テニスラケットは、生命保険

ゴルフは、経営・売上・資金・人

新型コロナウイルスの影響で経済が世界的ダメージを受ける今、社長の関心事は圧倒的に資金、お金ではないでしょうか。

例えば、冬場はゴルフのコースには出れません。

「コースに出れない冬に、テニスラケットのスウィングで軌道を確認しながら練習すれば、体もなまらないし、ゴルフのスコアも伸びますよ」

と言えた営業パーソンは、テニスラケット販売に成功します。それが証拠に、上田桃子さんは冬場にテニスを、ジャンボ尾崎さんは羽子板を使用した羽根突きをトレーニングの一環としています。

ポイントは、相手がまったく関心がないことでも、好きなものに役に立つツールなんだと気付かせることです。

本書の目的は、オーナー社長の関心事から入り、最終的に法人と個人の保険をすべて預かることを可能にすることです。

保険証券を預かればどうにかなる、保険が売れる……という人は多いでしょう。

ただ、どうすれば保険証券を預かることができるのでしょうか。

まずは、オーナー社長の関心事に役立つ情報を提供すること。

つまり「お金が会社や社長に残る」情報です。コロナ時代においては、国の施策や給付金・支援金、融資支援などの情報も、社長にとってはすぐにでも欲しい情報です。

経営者がお金のパートナーだと思っている銀行マンや税理士が伝えない情報をいち早く提供し、その結果、保険が役立つツールだと気付いてもらう。

法人保険をアプローチするために重要なことです。

■経営コンサルタントとして振舞う

コンサルティングとは、企業や経営者に対して解決策を示し、会社の発展を助ける業務です。ひとりで悩んでいるオーナー社長にとって、役立つ情報を提供してくれる経営コンサルタントは、相談相手であり心強い味方です。

私は経営者や富裕層向けのセミナー講師として、全国各地で講演を行っています。

そのセミナーで、私が一番初めに語るのは、経営理念です。

ファーストアプローチで特に気を付けていることは、社長の痛みに寄り添うという経営理念をわかってもらうことと、私が金融商品のプロだと認識してもらうことです。

オーナー社長がお金のプロだと思っているのは、税理士や銀行マンです。そこで彼らがアドバイスしないことを教えてくれるのが私だと、気付いてもらいたいからです。


セミナー後の個別相談で、相談者に意地悪な質問をします。

「可処分所得のセミナーで55連発のうち６つほど手法を話しましたが、こういったアドバイスを顧問の税理士先生から受けられたことがありますか？」

すると、相手は切れ気味に
「あったらこんなセミナー来るか！」

と答えます。

これは心理戦です。答えをわかって質問します。

あえて聞くのは、毎月顧問料を払っている税理士より有益なアドバイスをセミナー講師の大田（私）ができると、口に出して認識させるためです。

そして社長が答えた瞬間に、私は顧問税理士よりも上の立場、アドバイスをしてくれる先生になります。ここで**心理的に優位になれば、社長の警戒心が解けます。**

私たちは、保険活用によって社長の悩みを解決する経営コンサルタントです。

お金の相談ができて、具体的な解決方法を示してくれる。

オーナー社長がそう感じれば、しめたものです。

保険営業で会社を訪ね、いきなり保険証券や決算書を見せてくださいと言っても、もちろん門前払いです。

うまく社長に会えたとしても、「顧問税理士に相談しているから、大丈夫」と軽くあしらわれてしまいます。

見せてもらうコツは

「頼りにしている税理士や銀行マンはアドバイスしてくれない。彼らがしないアドバイスをしてくれるのは、目の前にいるこの人かも」

と思わせることです。

相手に警戒されたりしないために、初めのアプローチでオーナー社長に役立つ情報を提供しましょう。次に、

「顧問税理士から、このようなアドバイスを受けていましたか？」

このひと言で、税理士がアドバイスしないことをあなたができると、相手に認識させます。

保険を見直したくなるように道筋を作り、最後に

「金融商品の棚卸でもしておきましょうか、お手伝いしますよ」

と付け加える。目的は保険の見直しですが「見直しましょう」と言わず、

「金融商品（銀行・証券・保険）を棚卸して、一度チェックしましょうか」と経営コンサルタントとして提案する。

金融商品の中には、保険が入っているのですから。

■まずは社長の可処分所得を増やす提案

潜在ニーズを顕在化することは、とても難しいです。

私の得意分野は事業承継や相続ですが、保険営業で名刺を出して、

「社長、事業承継や相続って大変ですよ、もめますよ」

とオーナー社長に伝えると、

「お前に言われなくてもわかっているわ」

となります。

そこでまず、顕在ニーズをさらに顕在化することで、社長の信頼を得ます。有事でも平時でも、社長の顕在ニーズとは、手取り収入を増やすことや手元資金を確保すること、つまりお金を残すことです。

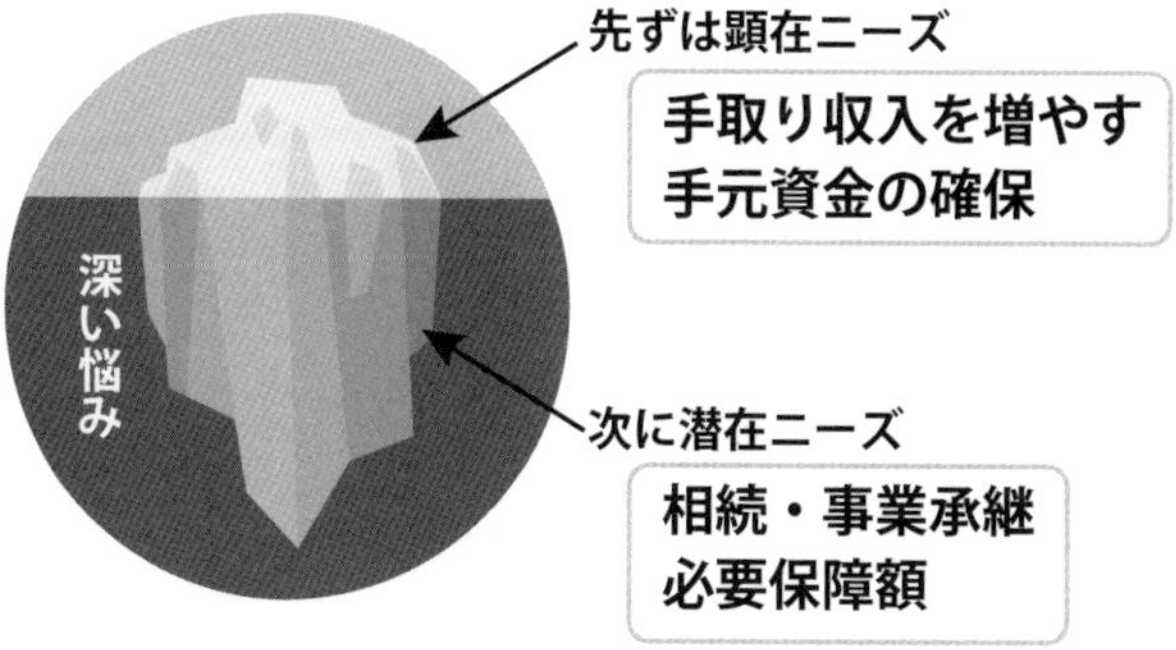

図③　オーナー社長の心理的訴求ポイント

オーナー社長への心理的訴求ポイントは、今すぐ得する話です。

コロナ時代で先行きもわからないのに、20年先の退職金なんて、眠たい話。

ましてや、30年先の事業承継や相続など待てない。今すぐ手取り収入を増やすこと。今年の確定申告はどうされましたか、これが求められているテーマです。

時系列で直近にあるものから問題解決をしていきます。

今すぐ事業継続に必要な情報を伝える。必ずお客様のお役に立つ情報でなければいけません。

「可処分所得を増やす」

「手元資金確保」

「負けにくい投資」


これで信頼を勝ち得たら、社長は聞く耳を持って保険証券を出してくれます。

そこで次の段階、避けられる損失として必要保障額や相続・事業承継の話をします。

潜在的ニーズをあぶりだすのは困難ですが、懐に飛び込んで今すぐ役立つ手取りを増やすことに貢献して信頼されることです。

得られる利益の話をしてから、避けられる損失の話をする。この順番が大切です。

第2章　オーナー社長のマネーブレーンになろう

1　オーナー社長に寄り添うスタンス

超ハイリスク請負業で、社内に味方がなく孤独な存在であるオーナー社長……そんな社長の独特なライフプランを理解し、社長に寄り添うための基本的な考え方をマスターしましょう。

社長は、超ハイリスク請負業
お金は鎧
お金があれば
倒産しない
お金は
社会貢献のツール

図④　オーナー社長にとってお金は鎧

■日本はお金を貯めにくい国

オーナー社長にとって、お金は事業継続のための鎧《よろい》であり社会貢献のツールです。

社長のお金はエゴではありません。社長は超ハイリスク請負業なので、お金があれば会社を守ることができます。

しかし日本では、お金は貯まりにくいのが現状です。

その理由は、日本が超低金利であることと、日本の税制にあります。


相対性理論の物理学者アインシュタインが「人類最大の発明」と述べた複利。預けた元本だけでなく、元本に金利がプラスされた合計額にまた金利が付き、年々預けているお金が増える仕組みです。

複利運用した場合、預けたお金が何年で2倍になるのかを求める算式『72の法則』があります。

72＝金利×年数

例えば、銀行の普通預金にお金を預けると、金利は0・001パーセント。お金を2倍にするためには、7万2千年もかかることになります。

スーパー定期（10年）の金利が0・012パーセントだとすると、2倍になるには

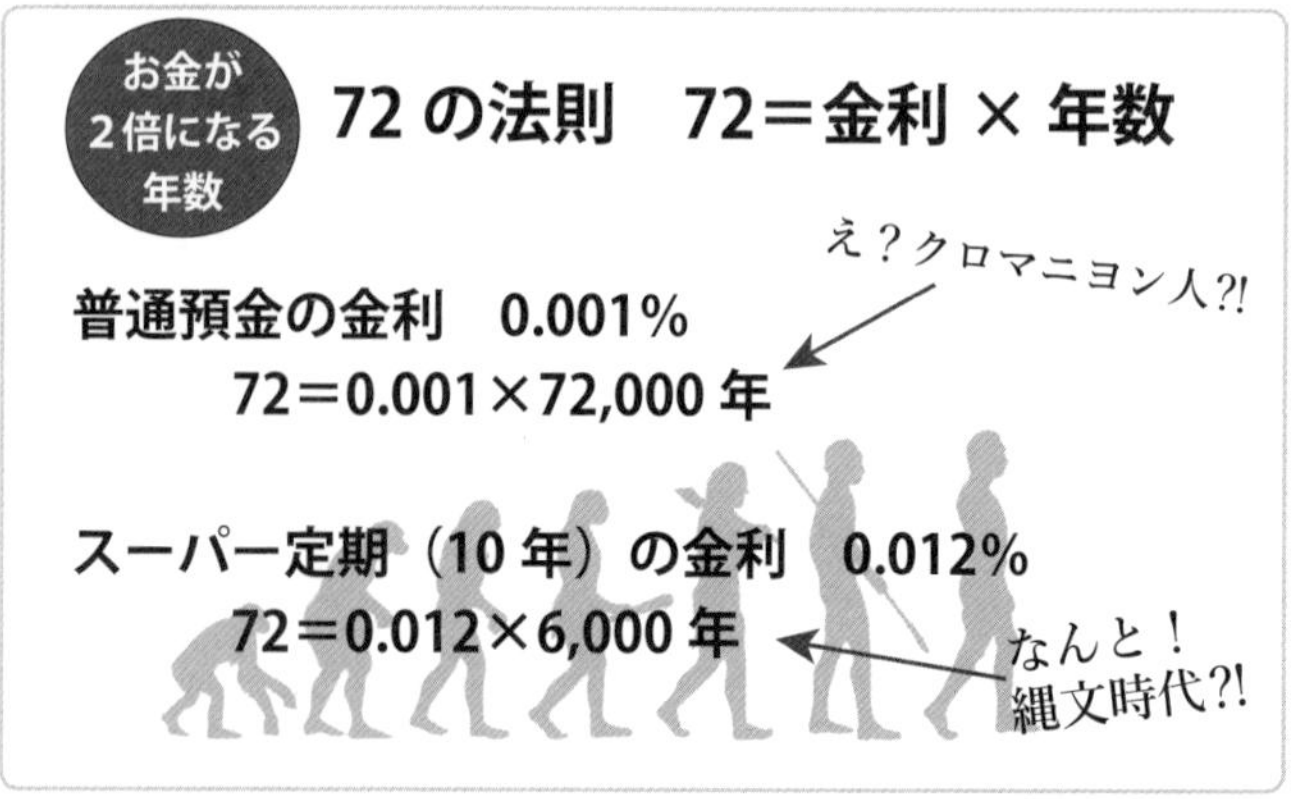

図⑤　日本でお金を２倍にするには何年かかる？

６千年もかかります。

オーナー社長が身を粉にして稼いだお金を、銀行に預けても増えるどころか、物価上昇を考慮に入れると、貨幣価値は年々下がっていきます。

次に、税の仕組みを見ましょう。

日本の税制の特徴は、所有者が変わるたびに高率な税が課税されることです。

会社を後継者に継承させるということは、株式を渡すことです。自社株の評価額が高くなればなるほど相続税も高くなり、対策なしでは会社経営が危機に陥る場合もあります。

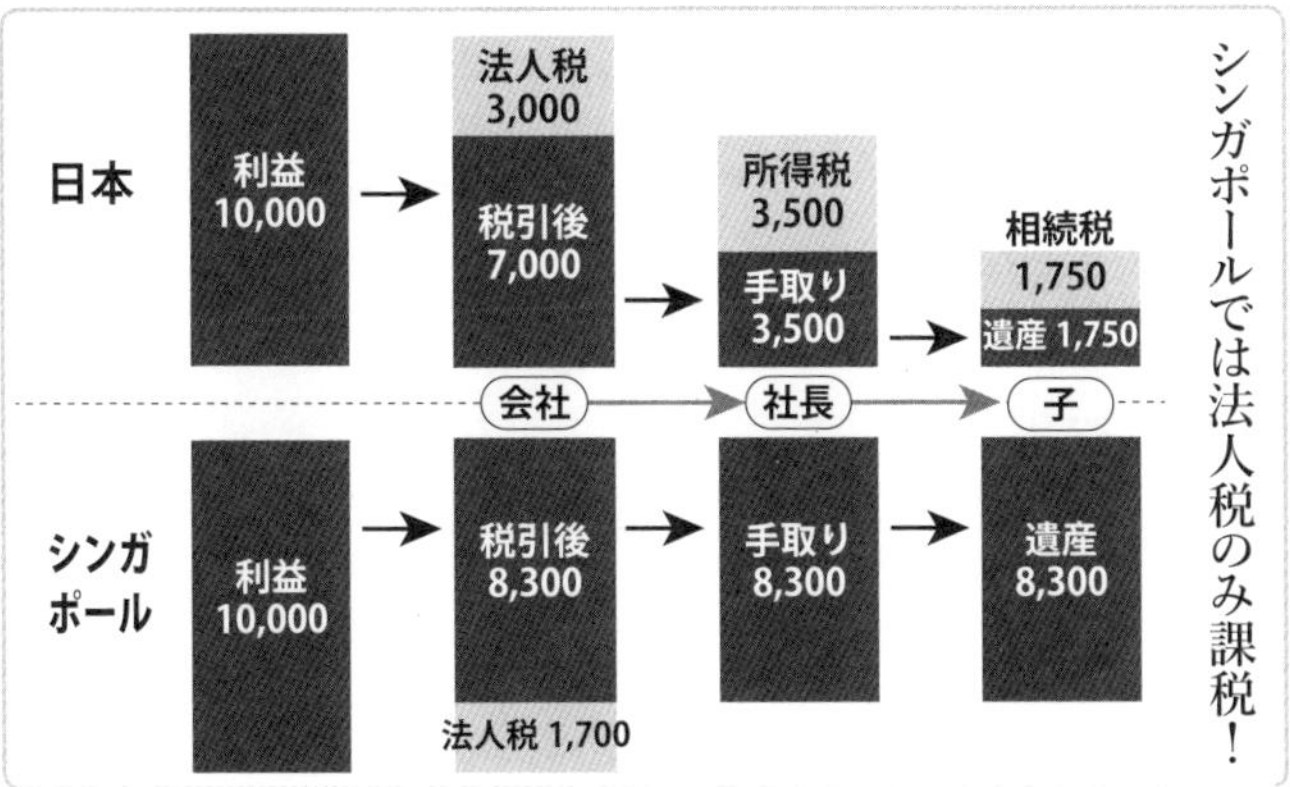

図⑥　所有者が移転するたびに課税される日本

図⑥からもわかるように、シンガポールと比べてみると、驚きの税です。

日本でなぜお金が貯まりにくいのかがわかると、オーナー社長は対策を講じようと試みます。しかし行動しようとすると、金融のプロに相談しなければできないことに気が付きます。

そこで私たちの出番です。

「どうしたら会社と社長にお金が残るのか、一緒に考えましょう」

熱い想いが伝われば、社長は心を開いて、自身の資産や会社の決算書や確定申告書、保険証券（法人と個人）を見せてくれます。

■事業継続のための4つの財布

オーナー社長の鎧となるお金は、4つの財布に分散して管理します。

①会社の財布
②社長個人の財布
③含み資産
④守る財布

【会社の財布】

ここに入るのは、税金を払った後のお金です。この財布から借入金を返済したり、事業投資を行います。

【社長個人の財布】

会社が経営難になればここからお金を取り出して、会社に入れることもあります。これを役員借入金と言います。相続・事業承継のときにも社長個人と社長ファミリーの財布からお金が必要になります。

【含み資産】

帳簿には載らないが貯まっているお金です。経費算入してお金が貯まる節税保険などの解約返戻金がこれに当たります。

【守る財布】

ハイリスク請負業の社長を守り、いざという時にはそこからお金が取り出せる財布。自己破産や相続放棄などのいざという時にも、お金が守られる財布です。

４つの財布のうち、どこかにお金があれば事業が継続できます。そのためにお金を分散して入れておく必要があります。

■社長の連帯保証債務

ハイリスク請負業である社長の連帯保証債務を理解しましょう。

通常、中小企業が銀行から借入れをする場合、社長が連帯保証人になります。その主な契約内容は「法人が借入金を支払えなくなったときに、連帯保証人が法人に代わって返済を行う」というものです。

この借入債務は非常に大きい。会社が経営難になって倒産した場合、その借入金をオーナー社長が返済しなければなりません。

融資取引を始める際に債権者と債務者の間で締結する契約書が銀行取引約定書で、これは無条件降伏状と言われています。

実は、**中小企業のオーナー社長の中には、この銀行取引約定書の内容をほとんど見ていない人もいます**。

一番怖いのは、銀行による相殺条項です。融資元の銀行から、借入金と預金を相殺される可能性があるということです。口座にある現金を、いつでも銀行の事情（融資を引き揚げたいとき……つまり会社がピンチのとき）で相殺することができる……少し考えてみてください。

銀行取引約定書＝無条件降伏状

＊民法 452 条　催告の抗弁権 なし
＊民法 453 条　検索の抗弁権 なし

連帯保証人＝債務者

連帯保証債務の盲点＝相続財産

＊民法 896 条　相続の一般的効力

相殺条項には要注意！
入金口座や個人口座は
別にしておきましょう

図⑦　社長の連帯保証債務

社長に万が一のことがあり、生命保険金が下りる。
その保険金は、どこの口座に入金されるのでしょうか。
融資元の銀行口座？
とんでもない！
別の金融機関の口座にしておきましょうと、ぜひアドバイスをしてください。

銀行の借入金に関しては、社長に万が一があったときに借金を残さないためにも、それに見合った額を生命保険で準備する必要があります。

■役員借入金は相続税の対象

社長が会社に貸したお金は、社長の代で清算することも必要です。

経営が苦しいときに社長が会社につぎ込んだお金や、未払いの役員報酬など、会社に貸したまま返ってこないお金……塵も積もれば山となるで、気が付けば高額になっているケースがよくあります。

役員借入金は相続財産の一部です。

社長が会社に貸しているお金は、相続税の課税対象になります。

たいていのオーナー社長は、資金繰りに困ったときに会社にお金を入れます。役員借入金がいくら高額になっても、実際に会社に現金がないことがほとんどでしょう。しかもお金がないのに遺族は、この役員借入金に対して相続税を納めなければなりません。

こうならないためにも、数年から数十年の時間をかけて、役員借入金を計画的に解消していく必要があります。

社長の連帯保証債務や役員借入金の解消方法の提案には、専務である奥さまに同席し

てもらいましょう。

「役員借入金の1億5千万円ですが、社長に万が一の場合、会社に貸したまま戻ってこないばかりか、相続するときに7500万円の相続税を払わなければいけません」

会社の帳簿を預かっている奥さまが、ここを理解しているかどうかです。

「え、そんなこと知らなかったわ！　なんとかして～」

と奥さまの方から強く依頼されることが多いです。

役員借入金については、法人・個人の両サイドで考える必要があります。

例えば、法人が役員借入金に見合った額の生命保険に加入すると、社長の万が一にも備えることができ、同時に、会社が役員借入金返済の原資を積立てることができます。

また、社長個人で相続時の納税資金に見合った額の生命保険に加入し、万が一に備えるのもいいでしょう。

オーナー社長には、この二つを実現するようなニーズがあります。

■社長のニーズ

オーナー社長は会社と一体ですから、公私並行して考えます。

左の図⑧は、社長と会社が一体であることを示しています。この図に、社長のニーズがあります。

図の中の「生涯収入」を残していく手法が『55連発』（一部を3章に掲載）です。

この図で、どこに関心があるのかを社長に問いかけます。

貯める、財務の強化、銀行対策、コスト削減、有事の手元資金確保など、社会保険料の適正化……。

個人課税が強化される時代になり、給与所得控除も少なくなり、相続税も心配……そんな時代だからこそ、社長の可処分所得を増やす対策を行いましょう。

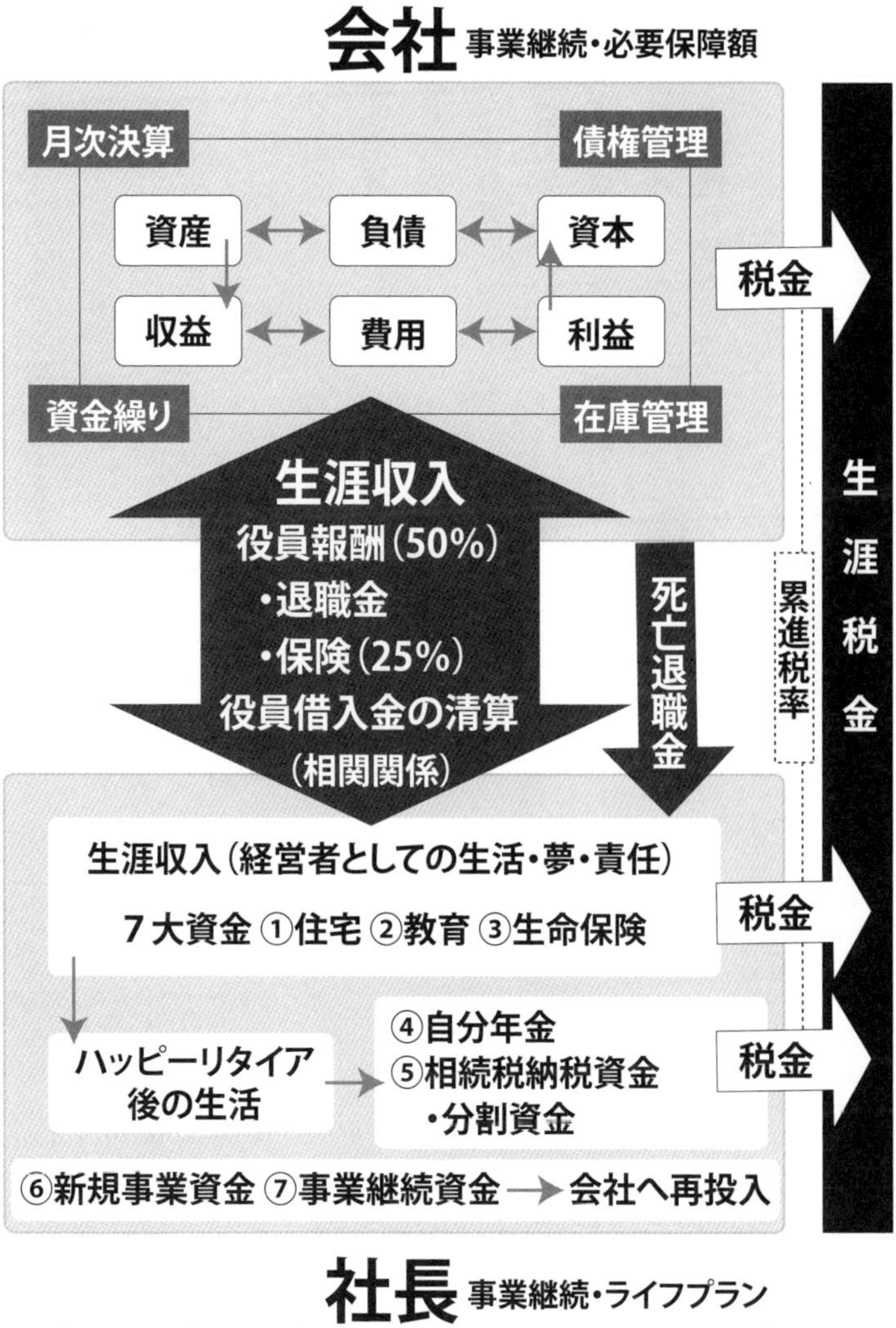
会社 事業継続・必要保障額
月次決算
債権管理
資産
負債
資本
収益
費用
利益
資金繰り
在庫管理
税金
生涯収入
役員報酬（50%）
・退職金
・保険（25%）
役員借入金の清算
（相関関係）
死亡退職金
累進税率
生涯税金
生涯収入（経営者としての生活・夢・責任）
７大資金 ①住宅 ②教育 ③生命保険
税金
ハッピーリタイア
後の生活
④自分年金
⑤相続税納税資金
・分割資金
税金
⑥新規事業資金 ⑦事業継続資金 → 会社へ再投入
社長 事業継続・ライフプラン

図⑧　社長と会社は一体

■社長のライフプラン上での7大資金

前ページの社長のニーズの図⑧から、より詳しく社長のライフプランに係る資金を見ていきましょう。

【社長のライフプラン上での7大資金】

①住宅資金
②教育資金
③生命保険
④自分年金
⑤相続税納税資金・分割資金
⑥新規事業資金
⑦事業継続資金

①②③は、サラリーマンにも必要な資金でしょう。

②の教育資金は、後継者育成のために高額な資金が必要な場合があります。
③においてサラリーマンと違う点は、連帯保証債務や役員借入金を考慮して必要保障額を決定する必要があることです。
④は年金問題。年々、社会保険料の負担が多くなっています。
報酬のある社長は、在職老齢年金制度により、年金が減額されるケースもあります。社会保険料の半分は会社で払い、残りの半分を個人でも支払ったのに、自分は年金ももらえない……社長の負担感は大きいでしょう。

そこで会社のお金で効率よく自分年金を準備する手法を提案します。
⑤は相続税納税資金と、相続において後継者以外の子どもに残す資金（分割資金）。これが一番大変です。会社を大きくしたゆえの悩みであるなら、会社のお金で解決しましょうと提案します。

⑥と⑦について、社長や次の世代の経営者と話ができれば、保険が決まります。

⑥は、社長が新規事業をスタートさせるための手元資金。海外に進出したいなど、社長のこれからの事業計画を聞き、新設会社への出資金として何年後かに資金ができているような保険を組む提案をします。

⑦は会社が何かあったときに使うお金で、これも生命保険で準備できます。今は経済が不安定で何が起きるかわからない時代ですから、⑦の強化は必然です。

２　オーナー社長の悩み解決を導く考え方

オーナー社長の悩みは「事業継続」と「相続・事業承継」です。今後の経済情勢を見極めて、社長の悩みを解決する糸口を見つけましょう。

生命保険は社長の問題解決に役立つツールだということを、しっかり把握しましょう。

■今後、増える税と減る税

オーナー社長は、増える税金があれば税の適正化等の対策を考え、減る税金があれば何かにうまく活用できないかと考えます。そこに寄り添い、可処分所得対策や相続対策、生前贈与対策などの保険活用を提案しましょう。

２０１９年10月、消費税は10パーセントに引き上げられました。

増税：消費税・所得税・相続税

負担増：社会保険料

減税：法人税・贈与税

対策は、法人活用と生前贈与

図⑨　これから増える税と減る税

また２０２０年１月から、年収８５０万円を超える人の給与所得控除が縮小され、実質、所得税が増税になりました。さらに２０２１年からは住民税にも適用され、増税となります。

給与所得控除が少なくなれば、社会保険料の負担が増える可能性があります。

増税に対して、丸腰にしていたらお金が残りません。対策が必要です。

逆に減税されるものは、積極的に活用しましょう。

韓国、香港、シンガポールなどアジア各国は、法人税が20パーセント前後です。日本の企業が国際競争で勝つために、政府は法人税を20パーセント台まで下げると公言しています。

相続対策に税制優遇の贈与を活用し生前贈与すれば、贈与税も減税されます。税制優遇の贈与として、教育資金、結婚資金、住宅資金などと使用目的や期間、金額の上限が決まっている資金に対しての贈与が非課税になります。

それ以外の生前贈与には、大きな落とし穴があることは、ご存じでしょうか？

例えば、おじいちゃんが孫名義の通帳を金庫に入れて、その銀行口座に贈与したつもりでお金を移してあげている……贈与したつもりでも、これは相続税の対象になる場合があります。

孫本人が通帳の存在を知らないと、贈与は成立しません。「無駄遣いされたくないから金庫に入れる」のであれば、途中解約のしにくい生命保険にする。おじいちゃんの想いを孫に伝え、おじいちゃんの銀行口座から孫の銀行口座に振込み、そのお金で孫が生命保険に入る……おじいちゃんのメッセージを生命保険に託すのです。

「希望の大学に進学してほしい」から、18歳になるまでに学費を貯めておくよ。

「素敵な家庭を築いてほしい」から、25歳までに結婚資金として貯めておくよ。

これは、生命保険の得意とする分野ではないでしょうか。

■売上・経費・利益・税金の関係

会社のお金には、売上、経費、利益、税金、手取り（残るお金）という種類があります。

一番大切なものはどれでしょうか？

どれを増やして、どれを減らすか？

これまでは、売上を伸ばすことに力を入れる売上至上主義のオーナー社長が多くいました。

しかし今後、またコロナのようなリスクが爆

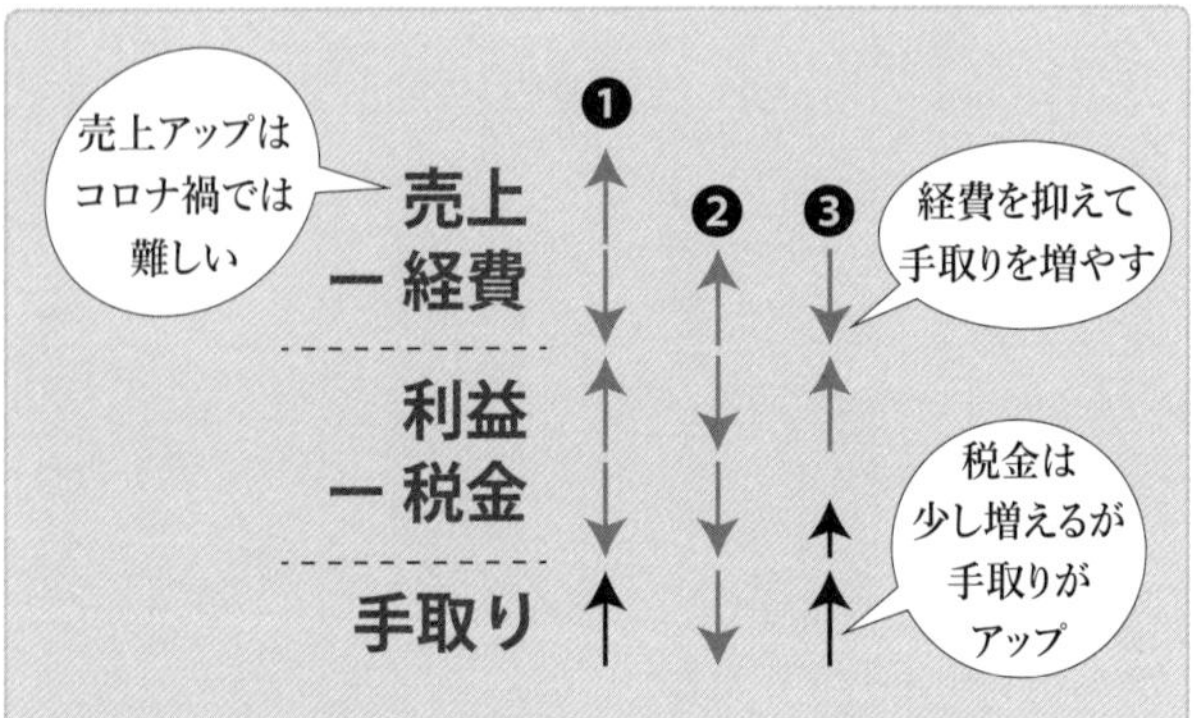

売上アップはコロナ禍では難しい
売上
ー 経費
利益
ー 税金
手取り
❶
❷
❸
経費を抑えて手取りを増やす
税金は少し増えるが手取りがアップ

図⑩　手取りを最大化するには？

発し、経済的に不安定な状態に陥ることがあるかもしれません。となれば、会社と社長に1円でも多く現金が残るほうがいいでしょう。

右の図⑩において、理想は❶「売上が上がり、経費が下がり、利益が増えて、税金が減り、手取りが上がる」ですが……これはありえません。利益が増えると税金が増えます。

❷は以前から行われていた節税対策や決算対策で「まず経費を増やす（節税保険に加入する等）と、利益が減り、税金が減る」ですが、これでは手取りが減ります。また節税保険は出口で課税されるので意味がありません。

❸の経費削減は「経費が減ると、利益が増える。応分の負担があり税金が少し増えるかもしれないけれど、手取りが増える」ので、現金が手元に残ります。

売上アップか経費削減しか、利益を上げる方法はありません。経済活動が停滞しているコロナ禍において、また人口減少傾向の日本において、売上アップは容易なことではありません。

私は多くのオーナー社長に経費節減を提案し、とても喜ばれています。**経費削減は手取り・手残りを増やす効果がある**からです。この考え方は、個人にも当てはまります。

■節税保険から現金と利益を生み出す

企業の決算対策として、節税保険を多く売ったプレイヤーは税理士や銀行マンです。しかし今まで節税効果があるとされていた法人の定期保険について、2019年2月14日以降、国税庁が税務上の取扱いを見直す方針を示し、保険会社は販売停止を打ち出した。これが業界で言うところのバレンタインショックです。

この後、税理士や銀行マンや一部の保険営業パーソンは、法人保険にはチャンスがないと退場しています。

誰もいないところに、チャンスがあります。

私たち保険のプロの出番です。

今まで安易に売られていた「節税保険」のメンテナンスは、プロでなければ行えません。

ご存じの通り、節税保険、節税ならず。実は、納税の先延ばしでした。

「社長、今期の利益はいくらですか？」

「2千万円だよ」

「じゃあ1千万円、保険で行きましょうか、税金にもっていかれても無駄でしょう」

これで保険が決まっていたのです。こんな売り方で、オーナー社長に勘違いをさせていました。

儲かっている会社は節税保険にたくさん入っていたので、役員の保障もたっぷりとありました。

「社長、保障を考えましょう」

「もういいよ、俺が死んだら5億円入ってくるからな」

保障の心配をする必要もありませんでした。

今、オーナー社長は思っています。

「加入している節税保険、将来的にどうしたらいいの？」

そもそも、社長の悩みは何も変わっていません。今の時代、いかにして事業を継続していくのか……私たちはこの悩みに寄り添い、解決のお手伝いをしましょう。

節税保険のポイントは２つ。

①生み出される利益と現金をどうコントロールするのか

②解約後なくなる保障をどうするのか

節税保険では含み益と言って、保険料を損金算入し現金と利益をプールしてきました。使う用途があるときに、これを解約して現金と利益を生み出します。

これを、使い道が明確でない中やっていた会社が多くあります。第1章でも述べましたが、社長も税理士も、保険は続けるか解約しかないと思っています。

そこで、今あるもの（既契約の節税保険）から埋蔵金を掘り起こし、もう一度お金を経営に再投入する方法をいくつか提案しましょう。

【節税保険からお金や利益を取り出す方法】

❶解約
❷部分解約
❸契約者貸付
❹保険料払込猶予

節税保険を❶解約すると、単年度に高額な利益（雑収入）が生まれます。コロナ禍で大赤字の場合にはそれも活用できますが、普通は高額な課税を避けるために、計画的に現金と利益を取り出すことが望まれます。

そこで❷部分解約を提案します。一度に解約しないで、何年間かかけて計画的に部分解約し、利益（雑収入）を得て、部分解約した後（減額した後）の保険料を損金算入します。戻ってきた一部解約金（現金）で保険料を支払います。保険料は下がるので、経費削減も同時にできます。
計画的な部分解約で、毎年現金と利益を生み出す。
コロナ禍において、取り出した現金は次の売上を生み出す資金にもなるでしょう。
❸契約者貸付は、普段は金利はかかりますが、コロナ禍においては無利子のところもあります。保険会社から借りるので雑収入になりません。現金だけ必要な場合は契約者貸付、現金付き利益がほしい場合は解約をお勧めします。
❹保険料払込猶予もあります。コロナに対する救済処置として、見舞金を出した保険会社もありました。
こういった措置を取っている保険会社の情報を、社長に提供しましょう。

経営においては、現金も利益も大切です。それをうまくコントロールし、メンテナンスします。解約、部分解約、契約者貸付、期間短縮、変換……それぞれの手法を行うと、どんなタイプのお金を届けることができるのか、保険料という支出を抑えることができるのか。

経営環境の変化にともない**保険メンテナンスの選択肢を提示できる人から、社長はアドバイスを受けたいと望んでいます。**

■節税保険解体後の保障

節税保険をメンテナンスしながら、次にしっかりした保障を提案します。

節税保険とは、解約前提の保険です。

例えば、契約10年目に解約すると保険料支払い総額の90パーセントが貯まっている。この解約返戻金が最大になる時期を過ぎて、11年目だと返戻金が下がります。そして、いずれ解約返戻金は0になります。

このように解約前提の保険は、解約すると当然保障がなくなります。

ここで保険との付き合い方を、オーナー社長に考えていただかなくてはなりません。

それは保険の真の力を活かすことです。

オーナー社長の2大リスクは、

会社が倒産すること。

社長が働けなくなること。

社長がトップセールスの会社もあります。社長が倒れたとなると、そのとたんに売上も落ちるし、会社が傾きます。

社長に万が一の場合、銀行の借入金の返済や、従業員の給料支払いや経費などの運転資金、取引先への支払いなど……しっかりとした事業保障が必要になってきます。

遺族への保障である（死亡）退職金支払い財源も必要です。

社長が働けなくなるリスクにも配慮しましょう。

がんもあります。早期発見で治療し、再び事業に戻ってくることが、社長の使命です。

会社の経費でがん保険をかける方法もあります。

病気ではなくても、コロナのような事態で、営業停止といったことも考えられます。

売上減の準備も考慮に入れる時代です。

安易な節税保険という勘違いを社長にさせてしまった業界や保険営業パーソンも税理士も銀行マンも悪いのですが、今こそ、**保険本来の機能が会社経営や社長の人生設計に役に立つと、社長に気付いてもらいましょう。**

保険料が安い掛捨て型の定期保険（10年定期保険）など、保障もあり経費を抑えられる保険提案もいいでしょう。

今は低金利なので、掛捨て保険が史上最高に安い時代です。

その他にも付加価値をつけて、社長の就業不能のリスクに備える保険、特に3大疾病（がん・急性心筋梗塞・脳卒中）になったとき病気に打ち勝って現場復帰ができるしっかりとした保障のある保険提案をします。

まだまだ法人保険で、オーナー社長のお役に立てることがあります。

すでに入ってしまった節税保険をどうしたものかと、考えあぐねている社長は多いです。

先日セミナーで

「節税保険の解体方法のアドバイスをしますよ」

と話すと、多くのオーナー社長から相談を受けました。

「まずは保険証券を見せてください」

すると社長は何の躊躇《ちゅうちょ》もなく必ず見せてくれます。

プロだからこそできるメンテナンス。

税理士や銀行マンとは違うスタンスを打ち出すことが大切です。

■大田式「13の黄金律」

会社と社長にお金を残すための大田式『13の黄金律』をご紹介しましょう。

この黄金律はセオリーで、社長の手取りを増やすと同時に、保険へと導くものでもあ

ります。保険活用も入っていますが、保険という言葉はいっさい使いません。

＊Ｇはゴールデンルールの「Ｇ」です。

大田式『13の黄金律』

Ｇ①　低い税を選ぶ、低い税に変える
Ｇ②　所有者を飛ばす
Ｇ③　非課税と控除は必ず使う
Ｇ④　所得は分散する〈課税対象者と時期〉
Ｇ⑤　損益通算を活用する
Ｇ⑥　給与以外の非課税所得を得る
Ｇ⑦　法人所有を検討する
Ｇ⑧　法人からプレゼントする
Ｇ⑨　役員借入金は減らす
Ｇ⑩　就業不能時の対策を考える
Ｇ⑪　金利を選択する
Ｇ⑫　クレカ・マイルを活用する

G⑬　期首と期末の対策を知る

オーナー社長に尋ねてみましょう。

「お金を残すために、これらの対策をしていますか？」

ほとんどの社長は、ノーと答えるでしょう。そこで、

「いろいろな知恵を組み合わせると、最終的に手取り収入が増えます」

と保険へ導きます。

G①　低い税を選ぶ、低い税に変える

保険を使えば、社長の今の役員報酬の半分の税率である一時所得で受け取ることができます。一時所得だと、２分の１課税です。

G②　所有者を飛ばす

所有者が移転するたびに高い税金がかかります。そこで、生命保険という金融商品の特徴「契約者と受取人」という概念を利用します。生命保険を使えば、会社で社長に保険をかけて、最終的に受取人を後継者や孫にすることも可能です。

G③　非課税と控除は必ず使う

社長と専務奥さまが非課税で受け取れる方法があります。

例えば、役員の退職所得控除は当初の20年間は40万円、21年以降は70万円。これを上手に使えば、30年勤続した社長の退職所得控除の合計は、１５００万円です。

G④　所得は分散する〈課税対象者と時期〉

法人成りをします。例えば、個人事業主としての月収３００万円より、会社にして家族３人で１００万円ずつに所得を分散し、給与所得控除と３人に退職金を用意すると、手取りが増えます。

G⑤　損益通算を活用する

全額損金になるが１００パーセント以上戻ってくる手法もたくさんあります。

G⑥　給与以外の非課税所得を得る

社内規程を作成します。出張日当は経費で落ちて、受け取る社長は非課税です。

G⑦　法人所有を検討する

家を社宅にする、車を会社で購入し社長が会社から借りるなどの方法があります。

G⑧　法人からプレゼントする

会社から社長に生命保険をプレゼントします。30万円の年間保険料なら損金算入できるので、がん保険を会社の経費でかける。一生モノの保障を例えば65歳や70歳までに払込み、法人から退職金代わりに渡します。

G⑨ 役員借入金は減らす

経営がピンチの時に社長が会社に貸しているお金、未払いの役員報酬を保険で返済します。保険を会社でかけて、解約金で返済するか現物で返済します。

G⑩ 就業不能時の対策を考える

社長は、労災保険・雇用保険に加入できず休業補償もない。働けなくなったら悲惨です。トップ営業の社長の就業不能はそのまま会社の売上減に直結します。

G⑪ 金利を選択する

投資信託型の保険や、外貨建て保険を選ぶ。金融商品がすべて日本円なら、金利をチェックしましょう。金利はその国の経済成長のスピードだと言えます。地球全体の経済伸び率は、約6~7パーセントなので、保険機能を被せた貯蓄性の変額保険などを選択肢に入れましょう。

また銀行を競わせて、借入金の金利を下げることもできるかもしれません。

G⑫　クレカ・マイルを活用する

クレジットカードで各種（税金を含む）支払うと、その分ポイント・マイルが貯まります。

G⑬　期首と期末の対策を知る

期首の役員報酬の決め方で社会保険料が変わってきます。また役員報酬分を退職金に振り分けることで手取り額は確実に増えます。

大田式『13の黄金律』の内容は、時代によって変化していきます。
ぜひ、あなた流にアレンジして、保険アプローチに活用してください。

■社長の資産3分法

オーナー社長は、金融商品、株式、不動産の3つの財産を持っています。
次の図⑪を見てください。

社長の気になる部分がわかれば、保険が売れます。

社長の財産内訳は、不動産と株式が6～8割を占めると言われています。

不動産は事業用不動産（工場など）と個人宅などで、株式は自社株です。不動産は事業継続に必要不可欠で売却できません。自社株は、会社を大きくして利益が出ると評価額が上がり、後継者に譲るときに高額な相続税や贈与税がかかります。

金融商品は、証券・銀行・保険の3つに分かれます。

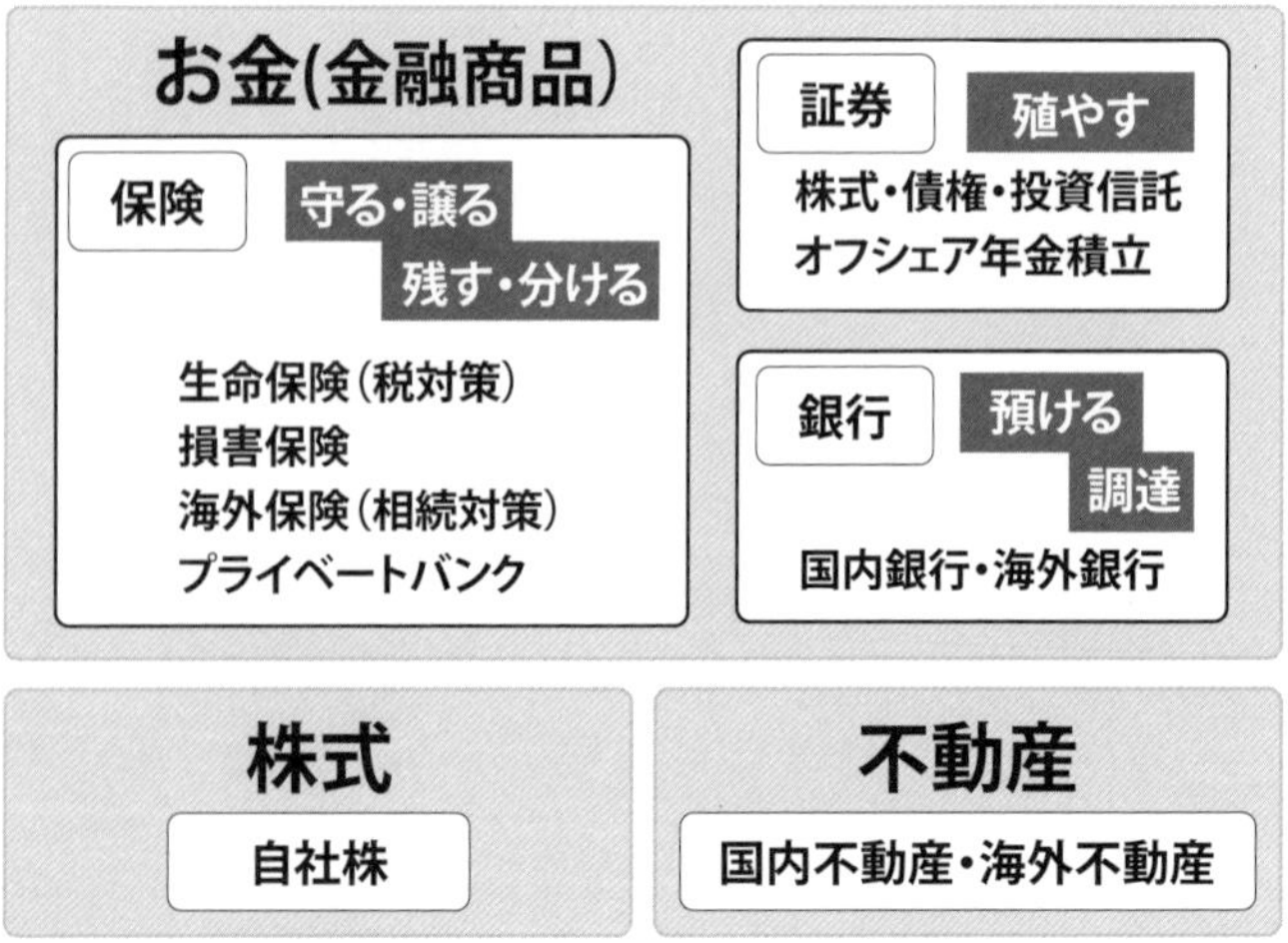

図⑪　オーナー社長の資産3分法

図⑫　社長の財産は現金化しにくい

今はどの金融機関でも保険販売をしているので混乱してしまいがちですが、それぞれ本来の役割は、証券はお金を殖やす、銀行はお金を預けて資金を調達する、保険はお金を守る・譲る・残す・分けるです。

社長の財産は自社株と不動産が半分以上を占めていて、金融商品は少ない。つまり**社長は現金化しにくくて分けにくい財産を抱えている**のです。

社長が万が一の場合、長男に事業を継いでもらおうと思っても、他の相続人の遺留分に配慮してお金を残さなければいけません。また納税のお金も必要です。相続税・贈与税の最高税率は55パーセント。しかも10か月以内に基本現金払いです。現金化しにくい財産が６～８割だというのに！　ここに社長の痛みがあります。

そこで、金融商品に活路があります。法人と個人で所有している金融商品について、適正化のアドバイスを行いましょう。

社長が万が一の場合には、証券会社の投資信託や銀行の預金は凍結してしまいます。動かすためには、相続人が集まって協議し、分け方を決めなければいけません。

そこで投資信託に、相続の役に立つように終身保険の衣を被せて、変額終身保険にします。投資信託は元本が減る可能性がありますが、保険の保障は減りません。保険金には非課税枠もあります。このように**証券と保険の違いを語るだけで、証券で運用していたものが保険に代わります**。

また米ドルや豪ドルで外貨預金をしている社長もいます。外貨預金はペイオフになったら守ることはできません。そこで保険の衣を被せて、ドル建て終身保険にします。

銀行と証券会社の特徴は、名義人と所有者が同じということです。所有者が死亡すれば、当然凍結します。動かそうとすると、遺産分割協議をしなければいけません。

一方、保険は被保険者と受取人を別人にできる金融商品であり、受取人固有の財産と言われています。被保険者が死亡すれば3日後に届く財産で、「お金の遺言状」と言えるのではないでしょうか。非課税枠が大きくなることもあり、また相続放棄をしても唯一受け取ることができる財産です。

私たちファイナンシャルプランナーの役割は、オーナー社長の財産を守り、次世代へ譲るために残し、トラブルなく分けることができるようアドバイスをすることです。保険は、守る・譲る・残す・分けることのできる金融商品。私たちは、オーナー社長に的確なアドバイスができるよう、金融商品についての勉強を日々行う必要があります。

■生命保険の特長

保険の特長を社長に伝えましょう。

「社長は法人も個人もたくさん生命保険に入られていると思いますが、生命保険という金融商品の特長がわかると、手取りを増やしたり、相続を軽く済ますのに役立ちます」
詳しく説明する必要はありません。

ポイントは、３つです。

①領収書を切ってくれる金融商品
②契約者と受取人の概念がある金融商品
③死亡リスクに対して、予算化でき、最小コストで準備できる金融商品

①領収書を切ってくれる

領収書を切るということは、損金算入できるということです。法人税法で決められた損金算入は、保険料・福利厚生費・給与の３つです。

【保険料】

社長にかける役員保険の保険料は、それぞれ保険の種類・返戻率によって、損金算入割合が違います。

社長が死亡したときは、会社に死亡保険金が入ってきます。それで銀行の借入金を返済したり、当面必要な運転資金にしたり、遺族に死亡退職金を支払います。

【福利厚生費】

ハーフタックス、全員養老保険です。社員全員が入る福利厚生型の保険です。満期保険金は会社に、死亡保険金は遺族に入ります。

【給与】

今後は、この給与損金を使った提案が増えてくると思われます。少しテクニックのいるプランなので、気心が知れてから提案するといいでしょう。

契約者が法人、被保険者は社長、受取人が後継者の長男。長男が受け取ると決めると保険料は給与損金になり、経費で落ちます。掛捨ての定期保険でも、貯金型の養老保険でも、終身保険でも、すべてこの契約形態にすると給与損金です。

社長に万が一のときには、長男に保険金が入り相続税の納税資金にもなります。

支払う保険料を役員借入金の返済に充てるケースもあります。これは税理士と相談しながら行いましょう。

多くの保険プレイヤーは、保険料の損金算入ができなくなる、節税保険が売れないと、法人マーケットから退場しています。

私たちは違う提案をして、他の保険プレイヤーとの差別化を図りましょう。

②契約者と受取人の概念がある

生命保険金は受取人固有の財産で、相続放棄しても受け取ることができます。

相続時に借金が多い場合もあります。相続放棄しても受け取ることができる守る財布に、お金を残しておくことも大切です。

また万が一の場合に、銀行と証券は所有者と名義人が同じなので凍結しますが、生命保険の死亡保険金は受取人に直接支払われます。これを伝えると、たいていの社長は喜びます。

また保険は契約者と受取人の関係性で、課税される税を選択することができます。

税をコントロールし、非課税枠を活用したり、低い税率を選ぶといった対策が可能です。

③死亡リスクに対して、予算化でき、最小コストで準備できる

社長にとって、予測できないリスクに対して予算化できることは重要です。

貯金は三角、保険は四角。保険は始めたその日から最小コストでリスクに備えることができます。一方、貯金は万が一の場合には凍結するので、すぐに使うことはできません。

税金の種類	所得税	相続税	贈与税
条件	契約者＝受取人の場合	契約者＝被保険者の場合	契約者、被保険者、受取人が異なる場合
契約者	子	父	母
被保険者	父	父	父
受取人	子	子	子

図⑬　契約形態で税を選択できる

3　会社と社長個人の保険すべての最適化

本書が提唱する法人保険販売は、会社の保険だけではなく、会社と社長個人の保険をすべて預かり、最適化を図ることです。法人保険と個人保険を預かることで、おのずと高額な契約となることがあります。

■全体最適と部分最適

最適化とは本来、目的に対して最も適切な方針や計画を立て、設計し、そうした選択を行うことを意味します。またＩＴ用語で「無駄を省いて最高の結果を出せるように調整する」を示します。

現代経営学の父と呼ばれ、マネジメント思想の世界的な権威である経営学者ピーター・ドラッカーの名言があります。

いかに優れた部分最適も全体最適には勝てない。

この言葉は、組織全体での整合性と効率性がいかに重要であるかを伝えています。部分最適をどんなにうまく行っても全体最適化をしないと、ダムは決壊してしまいます（図⑭参照）。

オーナー社長には、専務である奥さまの友人から頼まれて入った個人保険や、商売関係のご縁でどうしても断れなくて入った個人保険、お見合いをセッティングしてもらったので入った個人保険、接待ゴルフやビジネスのつながりで入った法人保険、顧問税理士やメインバンクが勧めた法人保険（節税保険）……個人でも法人でも、いろいろなタイミング、さまざまなコネクションで入っ

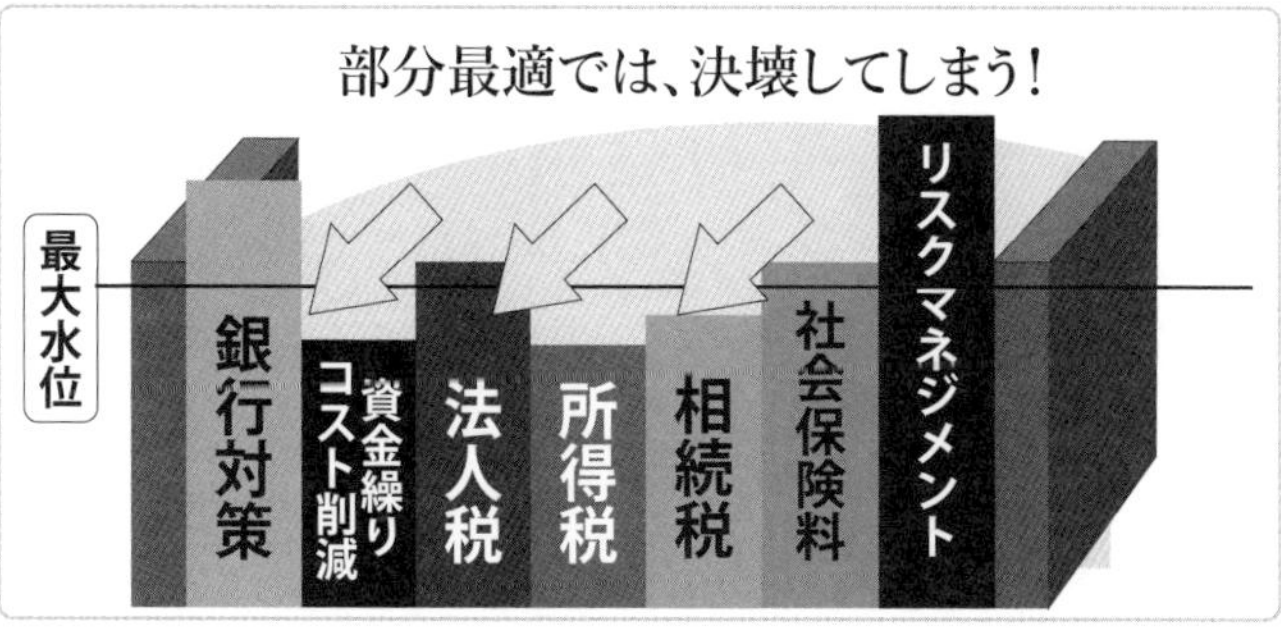

図⑭　いかに優れた部分最適も全体最適には勝てない（ドラッカー）

た保険があるでしょう。

そこで会社に訪問し「法人保険を見直しましょう」と言っては玉砕し、社長宅へ訪問し「個人保険を見直しましょう」と言っては玉砕する。そういう保険営業パーソンがほとんどです。

「保険を見直しませんか？　煙草を吸わなければより安くなりますよ」

こういった「保険を見直しましょう話法」での部分最適化は、社長にはお勧めできません。一部分だけを見て行う営業は、オーナー社長には通じません。

オーナー社長は会社と一体です。

法人と個人を見てこそ、最適化が図れます。

「会社にも、社長個人にも、そして次の世代にも、お金を残す保険の棚卸ができます」

俯瞰的に見て、全体を通した適正な保険のかけ方や、会社と個人どちらのお財布で保険料を支払うべきかなどをアドバイスします。

「法人で加入している保険と個人で加入している保険をひっくり返すだけで、資金効率が非常によくなったり、相続・事業承継に役立つケースがあります」

「ひっくり返すときに、会社と社長間の貸し借り（役員借入金と役員貸付金）の清算などができるケースもあります」

オーナー社長の多くは初めて聞きます、法人と個人が一体だと。その中で会社向けはこの商品、個人向けはこの商品と、アドバイスをします。

これは白地のマーケットで、競争相手があまりいません。

もう一つの全体最適は、銀行、証券、保険といった金融商品です。

それらの金融商品をすべて預かり、証券会社で購入した株式や債券や投資信託を変額終身保険に、外貨預金を外貨建て終身保険にと振り替え、万が一に備えつつお金を残す提案をします。

全体最適の考え方で保険提案をすると、社長にはこちらがどんな観点でアドバイスをする人物かがわかります。

オーナー社長には、お付き合いで契約した保険が、個人にも法人にもあるものです。おまけに節税保険にも入っています。また加入当初の目的から変わってしまっているケース、当初計画していたタイミングとズレが生じているケースも多く見受けられます。これらを全体最適化していきましょう。

■全体最適において社長が行うこと

会社と社長のお金を全体最適化するために、社長にしてもらうことがあります。

①金融商品と資産の棚卸

銀行・証券・保険の3つの色分け（国内・海外）

生命保険は、保険管理表の作成（現在の解約金・損益・担保力）

②役員報酬のシミュレーション

③役員借入金のチェック

生命保険は、法人と個人のすべての保険をひと目でわかるように管理します。医療保険やがん保険は、法人契約にメリットがある時代です。また給付金請求が出たときに、一元管理できるように表にまとめ、請求漏れを防ぎます。

今解約したら、解約金がいくらになるかもチェックしましょう。

法人の場合は損益をチェックします。現金と利益でダムを造るイメージです。少しずつ弁を緩めながら現金と利益を取り出すなどを可能にし、会社の財務体質を強化していくことができるのが保険です。

保険は資金調達ができる担保力のある商品です。契約者貸付も、どの保険から借りるのが一番金利がいいのかを棚卸します。

役員報酬のシミュレーションでは、役員報酬をいくらに設定すれば法人と個人の合計での手取り金額が最も多くなるのかを計算します。社長と専務奥さまのバランスも確認しましょう。

役員借入金は相続財産になるので、今後の対策が必要です。

①②③すべてを、社長だけで行うことは困難です。
そこで私たちファイナンシャルプランナーが、棚卸のお手伝いを行います。

■決算書・保険証券を見せてもらう

会社と社長のお金を全体最適化するためには、会社の決算書や保険証券を見せていただかなければなりません。

実は、保険証券を見さえすれば保険は売れるという人はたくさんいます。しかし実際は、見せてもらえないから保険が売れません。

オーナー社長は孤独で社内に味方はいません。

社長自身が味方だと思っている税理士や銀行マンは、会社の決算書は見ても、社長個人の人生設計にはまったく関心がありません。彼らは、お金と経営について「会社と社長個人が一体」という観点からのアドバイスをしません。

「税理士は、決算書を見て税務処理のサポートやアドバイスをするのが仕事で、社長個人については見ていないですよね」

「銀行マンは業績のいいときだけ借りてくださいと来るだけですよね」

そこで、私たちファイナンシャルプランナーが
「会社と社長は一体なので、法人だけでなく社長個人も含めて資産・金融商品の棚卸をしましょう」

と提案し、決算書や保険証券を見せてもらいます。

また懐に飛び込むやり方で、

「会社と社長にお金を残す手法が55あります。これを導入するためには、まず決算書や保険証券を見せていただきます」

と伝えると、問題解決をしたい社長はすぐに見せてくれます。


セミナー営業では「相談したい方は決算書や保険証券をお持ちください」と話します。

税理士や銀行マンが教えてくれなかった解決方法を教えてもらえるとなると、社長は信頼して手の内を明かしてくれます。

私たちは気付かせ業です。問題解決の成功事例を見せ、こんな問題解決の方法もあるんだと、気付いてもらうことが大切です。

オーナー社長に信頼されて、懐に飛び込んで問題解決をすると、また信頼されて、知人のオーナー社長も紹介してくれます。

■会社と社長が一体の保険提案

金融商品の棚卸では、保険の組み換えをアドバイスすることが多いです。

私は、社長のライフプランと企業プランの各時間軸に合わせた保険を提案します。

企業プランでは短期計画・中期計画・長期計画に対して、短期計画の対策・中期計画の対策・長期計画の対策があります。

会社として、何年後にどんな会社を目指しているのか。

社長個人の人生設計では、子どもは何歳でどういったライフイベントがあるのか、いくら資金が必要なのか。孫のいる社長は孫への愛情から生前贈与のニーズがあることが多いので、孫を含めた家系図をお聞きする。

それに対して資金を残しておきたいという意向はあるのか。


何年以内に自社株買取の必要があるとか、そのために手取りをいくら増額をしなければいけないとか、新しい会社を作るために自己資本で５年後には１千万円を貯めておきたいとか……。

また社長のライフプランとして、例えば15年後に子どもを医学部に入学させたいとなると、資金５〜６千万円（私学だとこれくらいかかるケースも）必要で、そのために何年先にいくら手取りを増額しないといけないとか……。

ヒアリングします。

それに対する策を短期契約、中期契約、長期契約と分けて提案します。

法人保険販売に同じケースはありません。

会社には、できたばかりの創業期、売上をどんどん伸ばしていく成長期、次世代へとつなぐ事業承継期があります。

会社を設立したばかりのオーナー社長に話すことと、2代目、3代目の社長に話す内容は違います。

しかし基本は変わりません。

短期・中期・長期において、それぞれ何年間で会社をどうしたいのか。

社長のライフプランも、短期・中期・長期的にどうしたいのか、将来の展望や夢、想いを聞きます。

それに添って必要なものを提案します。

■有事だからこそリスクマネジメント

有事だからこそ、リスクに対しての心得が必要です。

生命保険のプロとして、死亡保険金に年金支払い移行をつけるとか、高額な保険を何口かに証券を分割して将来の対策を考えていくとか……法人保険のかけ方を提案をするチャンスです。


節税で入った逓増定期保険などは、ピークが来ると必ず解約します。ピークを待たず、早期に解体するといい例もあります。

そのキャッシュアウトも押えましょう。


解約時に必要なのは、その後のしっかりとした保障です。

保険を解約しても、事業を続ける限りリスクマネジメントは必要不可欠です。

3大疾病などに備える保険、就業不能の給与保障が付く保険などがあります。

コロナ時代において社長が就業不能になったら、事業継続はできません。

私たちプロの保険営業パーソンが、オーナー社長に「真に必要な保障」を提案するチャンスです。

■餅は餅屋に（プロを味方につける）

ウィズコロナ時代の社長の関心事は、次の５つです。

①手元資金の確保
②助成金や補助金や給付金
③コスト削減
④会社や個人の手取りを増やす方法
⑤リスクマネジメント

④も⑤も、アフターコロナでは遅いのです。

私たち保険営業パーソンができることとは、既契約の保険のメンテナンス、節税保険のメンテナンス、事業保障の重要性を説くこと、泣きっ面に蜂にならないリスクマネジメント、事業承継とＭ＆Ａニーズです。

今、資産家やオーナー社長がどのようなセミナーに参加しているのか、興味を持ってください。

例えば、「個人で不動産を持つよりも、会社で持たせましょう」といった不動産会社のセミナーや、弁護士・司法書士事務所の「認知症で経営を止めない、事業承継を止めない」セミナーなど、さまざまな内容のセミナーが開催されています。社長の関心がどこにあるのかがわかると、保険の売り方がわかります。

各界のプロと仲良くして、オーナー社長に貢献しましょう。

税理士は保険の活用法を知りません。私たちの知識を伝え、連携するのもいいでしょう。

餅は餅屋と言います。

『55連発』は、税務や法務のプロと連携して活用してください。

有事において彼らにとっても、私たちの法人保険と個人保険の提案が活きてくると思います。今は彼らと情報を共有し、お金を守る・残すファイナンシャルプランナーとしてオーナー社長を守りましょう。

社長のライフプランに寄り添い、税理士や銀行マンが言わない提案ができるファイナンシャルプランナーとして奮起し、オーナー社長の役に立っていただきたいと思います。

第3章　有事平時に役立つ大田式6連発

この章では、私が考案した『会社と社長の手取りを増やす手法55連発』の中から、法人保険販売に結び付く『有事平時に役立つ大田式6連発』をご紹介します。

MENU

【有事平時に役立つ大田式6連発】

①役員報酬を調整して手取り収入を増やす方法とは？

②全額損金化して同額（100%）を会社に残す方法とは？

③社長が自己破産しても取られない資金を確保する方法とは？

④非課税メリットを最大限享受する方法とは？

⑤社長（50歳）が1億円の終身保険に個人加入するのと比べ、資金効率が1億円以上違ってくる方法とは？

⑥会社のお金で一生涯のがんの保障を準備する方法とは？

レストランのメニューのようにお客さまに提示しよう

今はコロナウイルスがまん延し、経済情勢が不安定な時代です。オーナー社長は、打てる手はすべて打ちたいと願っています。

私たち保険営業パーソンが、お客さまの会社の売上を上げる手伝いをすることは難しいかもしれませんが、会社と社長にお金を1円でも多く残すことには貢献できます。その手段である『有事平時に役立つ大田式6連発』のメニューは、すぐにでも活用できる手法です。

この手法がひとりでも多くのオーナー社

長の悩み解決に役立ち、あなたの法人保険販売を成功に導くことができたなら、これに勝る喜びはありません。

【有事平時に役立つ大田式6連発】

オーナー社長の目的（こうしたい！）から、手法・対策（保険を使った具体策）へ

①役員報酬を調整して手取り収入を増やす方法とは？
②全額損金化して同額（１００％）を会社に残す方法とは？
③社長が自己破産しても取られない資金を確保する方法とは？
④非課税メリットを最大限享受する方法とは？
⑤社長（50歳）が1億円の終身保険に個人加入するのと比べ、資金効率が1億円以上違ってくる方法とは？
⑥会社のお金で一生涯のがんの保障を準備する方法とは？

この６連発をレストランのメニューのようにお客さまに見せ、どの問題解決をしたいのか、ご注文をいただきましょう。

「これってどうすればいいの？」
と聞かれたら、
「その答えは私が知っていますよ」
と、社長のマネーブレーンとして解決に取り組みましょう。

この**6連発の内容（レシピ）は、絶対社長に見せてはいけません**。手の内をすべて見せてしまうと、相手は自分で解決してしまいます。

お客さまが食べたいと言った料理を作るのは、あなたです。レシピを公開してしまうと、客は自分で作ってしまい、料理人の活躍の場がありませんから。またプロとしてアドバイスできる注意点もありますから。

「気になるものがあれば、私に聞いてください」

具体策は、あなたがブレーンとなって行います。

手取りを増やしたり、会社にお金を残したり、取られない資金があったり、非課税で渡せたり、資金効率が1億円も変わったり……すべてオーナー社長のベネフィット、社長の得する話です。

これらを最初のアプローチで使います。まったく興味がないという社長はいないでしょう。教えてと言われたら、そこから保険につながるプレゼンテーションが始まります。

いきなり「これができます」と全面提案をするのではありません。

メニューを見せ、知りたいと言われたら教えてあげればいい。そこからはあなたが先生です。

「この人の話はもっと聞いてみたい」

「会社と個人を別々に考えていたけれど、俺の人生設計を応援してくれる人に出会った」

そう思ってもらうことが重要です。

税理士や銀行マンができないことで、オーナー社長の役に立つ。

生命保険の特長を駆使すれば、社長の得になることがたくさんあります。

法人保険はチャンスです。

1　役員報酬を調整して手取り収入を増やす方法とは？

オーナー社長と専務奥さまの役員報酬を、どう調整したら手取りが増えるのでしょうか。答えは、黄金律G①「低い税を選ぶ、低い税に変える」G③「非課税・控除は必ず使う」にあります。

税の難しい話は必要ありません。役員報酬をコントロールし、生涯収入はそのままで支払う生涯税金を安くすると手取りが増えます。

■低い税と控除

低い税とは、2分の1課税になる税です。

簡単に言えば「1億円受け取っても5千万円しかもらっていない」と計算します。

所得税の最高税率は50～55パーセントで、高額な役員報酬を取ると報酬の半分が税金として徴収されてしまいます。２分の１課税であれば、役員報酬の半分以下の税率になるのです。２分の１課税の一つが一時所得です。

退職時に受け取る生存退職金の退職所得も２分の１課税で、しかも退職金には大きな控除があります。

例えば勤続30年では、最初20年間は年40万円の控除、残りの10年間には年70万円の控除、合計１５００万円の退職所得控除があります。

■決算が終わった期首に対策

会社において、役員報酬を決めるタイミン

退職所得控除額の計算式（勤続年数 20 年超）

40 万円× 20 年＋ 70 万円×（勤めた年数－ 20 年）

勤続 30 年の退職所得控除額

40 万円× 20 年＋ 70 万円×（30 年－ 20 年）

＝ 800 万円＋ 700 万円

＝ 1500 万円

30 年間勤めた人には 1500 万円の控除枠があり、仮に退職金 1500 万円を受け取ると税金は０円です。

グは決算が終わった期首。そこで
「期首に意思決定をすれば、手取りが増える方法があります」
「役員報酬を調整しましょう」
　と提案しましょう。

　例えば、利益が1億円の会社があるとします。このお金を会社から社長が受け取る方法は3つ。結果は見ての通りです（下図を参照）。

①役員賞与……………手取りは3250万円
②定時同額給与………手取りは5000万円
③退職金………………手取りは8100万円

役員賞与とは、役員に対するボーナスです。

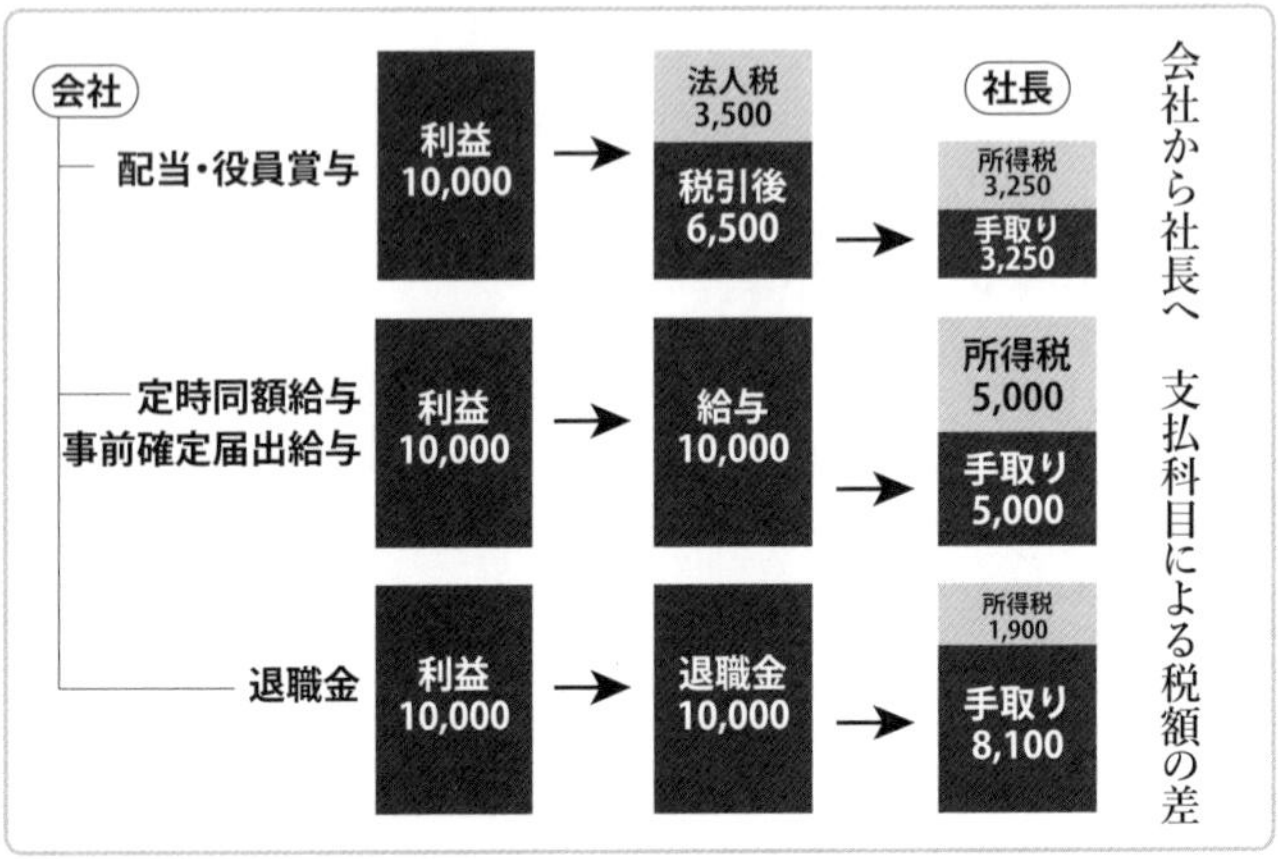

会社から社長へ　支払科目による税額の差

＊金額はおおよその目安ですので、ご了承ください。

利益が上がったので、従業員に決算賞与を払うと経費で落ちますが、役員賞与は経費では落ちません。

経費算入できないので、会社は法人税3500万円の支払い後に、役員賞与6500万円を社長に支払います。

受け取った6500万円は総合課税で、3250万円が所得税として徴収されます。1億円に対し3250万円しか残らないので、この方法はほぼやりません。

次に**定時同額給与**。役員の月額報酬は途中で金額を変更できません。そこで「事前確定届出給与」という選択肢があります。

これは納税地における所轄税務署長に対して「事前確定届出給与に関する届出書」の届出を行ったうえで、役員に賞与を与える方法です。

事前に届けて確定していたら、役員に賞与を経費で払ってもいいという制度です。届出のタイミングは決算後の期首。金額と支払日を決め税務署に届け出ます。

3千万円と届け出ているのに、利益が上がりすぎたから1億円にしたい……は、できません。足りなかったから1千万円にしたい。これもだめです。

事前確定届出給与として1億円受け取ると所得税が課税され、手取りは5千万円です。

3つ目は**退職金**、最も手取りが増える方法です。退職金なら1億円もらっても約8100万円の手取りが残ります。控除も大きく2分の1課税です。30年間勤めた社長の退職金は、退職所得控除1500万円を引き、残った金額の半分が課税の対象です。

「**事前確定届出給与**」ですが、税理士が教えないケースも多いので、ぜひ社長に伝えてほしいと思います。

なぜなら、社長にはライフプランがあります。

ある時期には家の建替え、ある時期は子どもを海外に留学させたい、ある時期には自社株を個人で買い取りしないといけない……いろいろな資金需要があり、その時々に払える資産を準備しておくと、ライフプランの実現が可能です。

社長の役員報酬を下げて退職金で受け取ると、どれくらい有利？

	A：現在	B：変更後	差額
役員報酬	120,000,000	84,000,000	－36,000,000
所得税・住民税・社会保険料	34,183,680	22,066,880	－12,116,800
役員報酬手取額	(72%) 85,816,320	(73.7%) 61,933,120	－23,883,200
退職金		36,000,000	36,000,000
退職所得控除額		15,000,000	15,000,000
課税退職所得		10,500,000	10,500,000
所得税・住民税		3,019,500	3,019,500
生涯収入	120,000,000	120,000,000	0
生涯税金・社会保険料	34,184,680	25,086,380	－9,097,300
メリット			9,097,300

＊金額はおおよその目安ですので、ご了承ください。

■役員報酬を下げて退職金でもらう

退職金で受け取ると、手取りが増えることがわかりました。

そこで、10年間計画の戦略を提案しましょう。

上の表のように、まず社長の役員報酬を、月額１００万円から70万円に下げます。

年収１２００万円が８４０万円になり、３６０万円が残ります。

この３６０万円を10年間で積み立て、合計３６００万円を退職金で受け取ります。

Ａ【役員報酬月額１００万円】と、Ｂ【役

員報酬月額70万円と退職金を足す】、どちらも生涯収入は1億2千万円。

Ｂでは所得税・住民税が下がりますが、退職金３６００万円には約３００万円の税金がかかります。

表からもわかるようにＡとＢでは、生涯税金と社会保険料の合計で約９０９万円の差が出ます。

会社が払った金額は同じ1億２千万円でも、Ｂでは社長個人の手取りが約９０９万円増えます。

このように手取りを増やしたいのであれば、役員報酬をただ額面通り受け取るのではなく、退職金に振り分けていくという選択もあります。この計算を行うパソコンソフトも販売されています。

次に、専務奥さまの役員報酬をみましょう。

Ｃ【役員報酬月額50万円】とＤ【役員報酬月額35万円と退職金を足す】を比べてくだ

専務奥さまでは、460万円の差！

	C：現在	D：変更後	差額
役員報酬	60,000,000	42,000,000	−18,000,000
所得税・住民税・社会保険料	14,067,000	9,227,360	−4,779,340
役員報酬手取額	(77%) 45,933,000	(78%) 32,772,640	−13,160,360
退職金		18,000,000	18,000,000
退職所得控除額		15,000,000	15,000,000
課税退職所得		1,500,000	1,500,000
所得税・住民税		226,500	226,500
生涯収入	60,000,000	60,000,000	0
生涯税金・社会保険料	14,067,000	9,453,860	−4,613,140
メリット			4,613,140

＊金額はおおよその目安ですので、ご了承ください。

さい。年収600万円が420万円になり、180万円が残ります。

この180万円を10年計画で積み立て、合計1800万円を退職金で受け取ります。

30年間勤めた専務奥さまだと、退職金の課税額は22万6500円！　これにはインパクトがありますね。

生涯税金と社会保険料をみると、手取りが約460万円増えたことがわかります。

中小零細企業では、社長以外、専務奥さまなどの退職金を積み立てしていないケースがよくあります。ぜひ提案してください。

社会保険料の適正化を図るには、次の2つのポイントがあります。

ポイント1　報酬が63万5千円以上でも、年金のもらう額に変化なし

報酬月額によって厚生年金保険料が決まりますが、63万5千円を超えるとどれだけ高い報酬をもらっていても、老齢厚生年金の受取額には上限があり、それ以上は1円も増えません。

ポイント2　60歳台前半以上の在職老齢年金制度対策

高額な報酬を取り続けていたら、年金はカットです。在職老齢年金制度にかかっている年代の人は、報酬を下げておき退職金でまとめて渡すと、年金が支給され、手取りが爆発的に増えます。社長の自分年金という悩みにどう働きかけていくのかがテーマです。

■社内規程を整える

役員退職慰労金規程は、役員退任時の月給（最終報酬月額）を基準にしながら、役員在任年数、功績倍率などを考慮し、作成します。

退職金を増やすために、辞める前に計画的に月給をアップさせておく、基準を最終報酬月額ではなく平均報酬月額にするなど、検討する余地があるかもしれません。

出張旅費や見舞金などの社内規程も整えましょう。

出張旅費では、基本日当と、早朝・深夜・遠方・海外などの手当を規程に盛り込み、出張に対して1日2〜5万円の日当&手当を出すように定めます。出張費用を役員報酬に組み入れて受け取ると半分が税金になりますが、**出張日当なら会社は社長に経費で払い（損金算入でき）、社長は非課税で受け取れます。**

退職金の計算式（最終報酬月額100万円の例）

最終報酬月額×役員在任年数×功績倍率

勤続30年の退職金（最終報酬月額100万円の例）

100万円×30年×3＝9000万円

見舞金は社会通念上相当と金額が決まっていますが、社長が入院したときに会社が経費で見舞金を払う……これも非課税です。

社内規程を整えることで手取りが増えます。私たちファイナンシャルプランナーが、こうしたアドバイスをどれだけできるかが重要になってきます。

■経費算入でき、限界税率の低いものを使う

オーナー社長の「お金を残す鉄則」があります。

「会社から社長に渡す、税制上一番得な受け取り方は何でしょう?」

私がよくセミナーで受講者にする質問です。

会社から社長へ渡すときには経費で払えるといいですね……損金算入です。ちなみに

退職金は会社が払い出しできる最大の経費、特別損失と言われています。

経費で払えて、税率が低ければ低いほどいいわけです。

社長は、賞与や配当は損金算入できないので、もらいません。

高額な役員報酬には高い税率がかけられます。

退職金は損金算入でき、控除が認められ限界税率が27・5パーセント（2分の1課税）です。

生命保険の満期保険金や解約返戻金は一時所得で2分の1課税であり、退職金と同じく限界税率は27・5パーセントです。一時所得には50万円の控除もあります。法人保険の名義変更で、社長に大きな解約金を渡すときなどに使い

法人から社長個人へ　税制上、最も得な所得は？

法人から社長へ	損金算入	限界税率
役員賞与	×	55%
配当	×	55%
役員報酬	○	55%
退職金	○	27.5%
生命保険の一時所得	△	27.5%
M&A	×	20%
出張日当	○	0%

＊別に控除：給与所得控除、配当控除、退職所得控除、一時所得控除

ます。

１００万円預けて保険で運用し、解約金が１５０万円になったときに解約すると利益は50万円ですが、50万円の一時所得控除があるので税金はかかりません。

毎年これをコツコツと使っていけば、10年間で５００万円が無税になります。

手元に資金を残し、社長の応援をするファイナンシャルプランナーが、プロだと認められます。プロだと思われないと、どのような相談もきません。

2　全額損金化して同額（100％）会社に残す方法とは？

これは私のセミナーでも食い付きのいいテーマです。こんな方法があったらいいですよね。これは国の制度（＊）、経営セーフティ共済（中小企業倒産防止共済制度）。

国の制度を紹介したら、生命保険が売れないかも……このようなチンケな考え方をしてはいけません。

オーナー社長には「国の制度をまず使いましょう。そのうえで次にいいもの（保険）を提供できます」と提案すると、誠実さが感じられ、信頼関係が築きやすくなります。始めに、インパクトのあるものをお届けしましょう。

＊国が全額出資している独立行政法人中小企業基盤整備機構が運営。通称「中小機構」。

■取引先の倒産に備えながら含み資産を作る経営セーフティ共済

経営セーフティ共済のメリットは３つ。

①掛金は全額経費

平成23年10月から上限月額が増えました。

上限20万円×12か月＝２４０万円が損金算入可能です。２４０万円にかかる30パーセント（法人税）、つまり72万円の節税効果があります。

②40か月以上の加入で解約手当金の返戻率は１００％

③貸付限度額は最高８千万円（掛金総額の10倍まで）

取引先の倒産時には、貯まった８００万円に対して、８千万円まで無担保で保証人不要で借りることができます。

経営セーフティ共済はハイリスク請負業の社長を救う制度で、金融商品としてみても最高にメリットがあります。

「法人税減税」時代ですが、会社に利益が上がっているなら節税ニーズは必ずあります。経営セーフティ共済は、節税ができ１００パーセント貯まります。

「マイナス金利」で運用で増えない時代に、含み資産を１００パーセント作ってくれる方法は経営セーフティ共済しかありません。

共済掛金８００万円は経費で落としているので帳簿には載りませんが、解約すると現金８００万円が収入として戻ってきます。利益を繰り延べしたことになります。

また「人口減少時代」なので、なかなか不動産の価値は上がらず、含み益はほぼ作れません。

法人税減税、マイナス金利、人口減少……こんな時代だからこそ、経営セーフティ共済が必要だと、オーナー社長にきちんと伝えましょう。

また経営セーフティ共済は、銀行・証券より優位性があります。**銀行・証券は経費算入できない**からです。

これからは単純返戻率……税金効果を考えた実質返戻率という時代から、単純に「どれだけ経費で落ちるのか」「どれだけ戻ってくるのか」が重要な時代に入ってきます。

ぜひ、経営セーフティ共済のパンフレットを取り寄せてみましょう。

■経営セーフティ共済から生命保険へのアプローチ

【経営セーフティ共済アプローチの流れ】

①国の制度の話からスタート

いきなり生命保険の話をするのではなく、まず国の制度（国の全額出資機関が運営）を語ることでコンサルティングっぽくなります。保険は十分入っているだろうし、社長は保険に興味はありません。保険パンフレットではなく経営セーフティ共済のパンフレットを見せましょう。

②経営セーフティ共済と小規模企業共済（本章135ページ参照）**はセット**

この2つは車の自賠責保険みたいなものです。必ずやりましょうと、必然性を訴えます。

③月額上限20万円が全額経費で100％貯まる唯一の金融商品

返戻率100パーセントの金融商品でも、40か月しか貯めることはできません。しかし41か月目にも20万円の予算があるわけです。「次の対策は？」と保険対策の選択肢を提供できるチャンス到来です。

④800万円が上限

貯めた800万円活用例を提案します。

・会社に赤字が出たとき、解約して収入と現金ができる。

・事前確定届出給与800万円で届けておくと、決算で利益が出なくても経費で事前確定届出給与を支払うことができ、社長の人生設計に役立てることができる。

・20年務めた社長や専務奥さまの退職金として支払う（800万円の退職所得控除があります）。

さて、800万円を貯めた後の対策は？

⑤会社の与信＝会計事務所や税理士が必要

取引先の急な倒産にも貸付を8千万円まで受けることができる。企業のピンチに顧問先を守るために、税理士にも必要なものです。

では、なぜ経営セーフティ共済からアプローチしていくのでしょうか？

経費算入できる経営セーフティ共済を語ることは、生命保険につながります。

経営セーフティ共済の上限は800万円。次に何をするのか……損金割合が変わったとしても経費算入できる商品……ということで、保険にたどり着くというわけです。

また貯めたお金の使い道を伝えていくことで、私たちの価値も上がっていきます。

■生命保険活用との共通点

経営セーフティ共済活用は、生命保険活用とほとんど同じメリットがあります。

そこで、次の5つを語り、生命保険へ導きましょう。

①含み益を作るメリットを語る

②含み益の出口を語る

現金が必要で経費になるものを出口に用意しましょう。

・退職金……会社が払い出しのできる最大の経費

・社屋の外壁の塗り替え（修繕費）
・周年事業……社史編纂や社員の海外旅行など
・設備投資

③払い方（経費）を語る

・利益が多く出た場合、決算末に年払で支払う
・予算が足りない場合、年払を月払や半年払に変更（領収書のサイズを変更）

④現金と利益を分けることを語る

・現金と利益が同時に必要なときは解約
・現金だけ必要なときは、契約者の一時貸付金を利用

⑤自賠責と自動車任意保険の関係を語る

健康保険（国の制度）があって、その上に民間の医療保険や介護保険がある。経営セーフティ共済（国の制度）があって民間保険などのリスクマネジメントと資金プールできる保険がある。

⑥ハイリスク請負業の社長を語る

取引先の倒産時には、８千万円までの借入れが可能。

例えば将来の設備投資として、機械設備に3千万円を貯めたいとすると、800万円は経営セーフティ共済で貯めて、残り2200万円をどのように貯めるのか。経費算入しながら貯めたい……**経営セーフティ共済の次の選択肢に生命保険が浮上してきます。**

経営セーフティ共済では、帳簿に載らずお金を貯めることができ、契約者の一時貸付金として利用目的を聞かれることなく資金を借りることができます。それと同じようなことが生命保険でもできます。

経営セーフティ共済は、いったん解約してもすぐにまたスタートすることができますが、それを知らない社長は多いです。

3　社長が自己破産しても取られない資金を確保する方法とは？

これは、ハイリスク請負業の社長を守る財布。自己破産すると、会社はおろか家屋敷まで失うのが社長。すべてを失っても取られることのない財産が……差押禁止債権である小規模企業共済。国が太鼓判を押す節税金融商品です。

「社長、非課税や控除という言葉を見つけたら、自らできるかどうか考えましょう。確定申告書に『小規模企業共済等の控除』と印刷されています」と提案しましょう。

■守る財布、小規模企業共済

これも前述の経営セーフティ共済と同じ、国の制度（中小機構が運営）です。

「まず国の制度を使いましょう。その次にいいものは、私がいくらでも提案できます」

国の制度を利用していないオーナー社長がいれば、ぜひその良さを伝えてください。

小規模企業共済のメリットは4つ。

①掛金は全額所得控除

月額7万円が上限。12か月84万円で、所得税率50パーセントの人であれば、42万円の負担感で、84万円を貯めることができます。

社長個人も掛金全額を所得控除できるので、節税になります。

②共済金の受け取り時も一括の場合は退職所得扱いなので最も税金がかからない。

③契約者の一般貸付制度で借入れが可能

掛金の範囲内(掛金納付月数により掛金の7〜9割)を1・5パーセントの金利で借入れすることができる。

④差押禁止債権

自己破産しても取られない資金を確保できる。社長と専務奥さまも同じように10年積み立てると、840万円×2人分=1680万円を生活立て直しに役立てることが可能です。社長を守る財布、だからこれをやりましょうと提案するのです。

55連発のメニューのうち、この「全額損金化して同額(100パーセント)会社に残す方法とは？」「社長が自己破産しても取られない資金を確保する方法とは？」について、多くの社長が「聞きたい」「これ何？」と前のめりで聞いてきます。

どうやったらいいのと聞かれたら、教えてあげたらいいのです。

そのときに私たちが何をできるのかを語ればいいのです。


まず小規模企業共済から語りましょう。

マイナス金利の時代に、実質効果として42万円の負担感で84万円が貯まるということは、運用益は倍になるということです。また**小規模企業共済がもたらすものは「ハイリスク請負業の社長の安心感」**。自己破産時にアパート一間からでも再建できるお金が確保できる。これは税理士が教えてくれないことです。


国の制度の次にいいものは、私たちはいくらでも提案できます。

会社で経費算入した生命保険証券の現物を退職金代わりに渡し、そこから解約金を年金支払いする方法。会社でかけたものから自分年金を取り出す方法はたくさんあります。

そういった提案は、国の制度の次にあるということです。

4　非課税メリットを最大限享受する方法とは?

これは事業承継と相続の話です。

利益が上がり自社株の価値が高くなった。社長が息子に自社株すべてを譲ろうとすると、大きな資金が個人で必要になります。子どもが複数いると、どうバランスを取ればいいのでしょうか。

「会社を大きくした悩みが、自社株・相続ならば、会社のお金で解決しませんか?」

銀行からの借入れの連帯保証債務も役員借入金も、相続財産になります。

「連帯保証債務・役員借入金も相続財産ですよ」

非課税枠のパワーを伝えましょう。しっかり対策をすれば4億円弱の財産が守れます。

「税金0円(非課税)のお金で4億円の自社株と不動産を守りませんか?」

社長の財産は4億円より多いかもしれませんが、まずは4億円弱までを守りましょうと提案します。

■それぞれの非課税枠

保険プレイヤーならお馴染み相続税法12条などを最大限活用しましょう。

①死亡保険金（個人）の非課税枠
500万円×法定相続人の数

②死亡退職金（会社から）の非課税枠
500万円×法定相続人の数

③弔慰金（会社から）の非課税枠
業務外の死亡……最終報酬月額×6か月
業務上の死亡……最終報酬月額×36か月

例えば社長が亡くなり、遺族が専務奥さまと子ども3人だとします。
法定相続人は4人なので、500万円×4人＝2千万円。死亡保険金の受取人は無税で２千万円を受け取ることができます。会社が支払う死亡退職金２千万円は損金算入でき、法定相続人である遺族は無税で受け取ることができます。月給１００万円の社長が業務外で死亡した場合、会社が支払う弔慰金６００万円は損金算入でき、遺族は非課税で受け取ることができます。

ここにさらに専務奥さまの死亡保険金・死亡退職金・弔慰金の非課税枠を加算すると次の計算になり、合計７９００万円を無税で後継者に渡すことができます。

■税金のかからない財産を作ろう

社長の非課税枠例（最終報酬月額100万円の例）

死亡保険金（生命保険会社から）　500万円×４人＝2000万円
死亡退職金（会社から）　500万円×４人＝2000万円
弔慰金「業務外」（会社から）　100万円×６か月＝600万円

専務奥さまの非課税枠例（最終報酬月額50万円の例）

死亡保険金　500万円×３人＝1500万円
死亡退職金（会社から）　500万円×３人＝1500万円
弔慰金「業務外」（会社から）　50万円×６か月＝300万円

会社の支出は損金計上でき、**後継者に無税**で

合計 **7900万円**を渡すことができる

社長に万が一があった場合、銀行に預けていた２千万円は相続税の課税対象です。この２千万円を生命保険の一時払終身保険に変えるだけで、税金のかからない財産を作ることができます。

取扱いは各生命保険会社によって異なりますが、無告知で加入でき87～90歳まで加入可能な商品もあります。

また外貨建ての商品で被保険者に配当が出る商品や、保険金が逓増《ていぞう》していく商品、終身介護年金が出る商品もあります。年齢や健康状態に関しても幅広く加入できる保険があり、長生きするほどメリットのある商品もあります。

■相続税を生命保険で準備

加入した生命保険で相続税が払えるケースもあります。

2億6千万円の相続財産があり配偶者と子ども3人いて、配偶者の税額軽減を適用した場合、1940万円の相続税がかかります。

このときの生命保険の非課税枠は2千万円ですから、その非課税限度枠内で死亡保険金を設定し、月払からスタートするとすぐにでも相続税の準備ができます。

貯金は三角、保険は四角。

加入してすぐに準備できるのが、生命保険の良さです。

また配偶者と子ども3人が法定相続人である社長が亡くなった場合、財産総額3億9千万円に対して、配偶者の税額軽減のみ適用すると、子ども3人が納付する相続税額は3980万円になります。

そこで、相続税法12条で規定される非課税枠を死亡保険金と死亡退職金のダブルで受けると、合計4千万円の現金が非課税財産として確保され、その現金で3980万円の相続税納付が実現できるのです。

これが冒頭の「税金0円(非課税)のお金で4億円の自社株と不動産を守りません

か？」につながります。

個人加入の生命保険の死亡保険金と、法人加入の生命保険で準備した死亡退職金、両方の非課税枠を用いると、このように４億円弱の財産を守ることができます。

会社で死亡退職金対策をしていないケースもよくあります。

特に、**専務奥さまの死亡退職金対策は、ほとんどの会社が無対策**です。

実は、二次相続が大変です。

社長が残した相続財産のうち、１億６千万円か相続財産の半分のどちらかを専務奥さまが受け取っても一次相続のときは（配偶者の税額軽減によって）無税ですが、奥さまが亡くなったときには多額の相続税がかかります。

生命保険を使って法人のお金で死亡退職金の準備をしておきましょう。

5　社長50歳が1億円の終身保険に個人加入するのと比べ、資金効率が1億円以上違ってくる方法とは？

相続のときに必要だからと、社長個人の財布で高額な終身保険に加入しているケースは多く、年払保険料が数百万円とかかかります。

「会社のお金で保険料を支払い、退職金代わりに会社が社長にプレゼントすると1億円以上も資金効率がよくなります」

と1億円という数字を使い提案します。

社長に関心を持ってもらうためのコスト削減ですが、

「今社長が個人で入っている月払3万5千円の生命保険ですが、タバコを吸わなかったら3万円になりますよ」

こんな話はだめです。オーナー社長は数千円の話に時間を割きません。社長は数千万、億単位で差が出るのであれば、話を聞こうと考えます。

■生命保険は会社で払って社長にプレゼント

さて、高額所得者のオーナー社長は、人の倍稼いで所得税を半分払って、残った個人の財布から生命保険料を払う方がいいのでしょうか？

それとも、会社のお金で保険料を払い、のちに社長個人にプレゼントする方がいいのでしょうか？

個人で高額な保険料を支払っていても、一般生命保険料控除限度額は、所得税４万円住民税２・８万円で、税制上のメリットはほぼありません。そこで、「会社で保険料を支払い、退職金代わりに社長に渡す」ことをプレゼンテーションします。

頑張って利益を上げ続けた会社が、相続・事業承継の悩みを抱えます。会社と社長は一体だから、私たちはこの痛みに寄り添いましょう。

「会社を大きくしたがゆえの悩みが、相続税・分割するための資金であれば、会社のお金で解決しましょう」

こう伝えると、たいていの社長はホッとします。

その資金効率が、もし1億円も違うのであれば、これは考えなければいけません。そこで**会社のお金を使って納税資金や分割資金を準備する**方法を提案します。

納税資金や分割資金を会社から受け取る方法です。

■低い評価額で名義変更（保険証券の現物支給）

プレゼントする生命保険は、低解約金型終身保険。払込が終わると解約返戻金が30パーセントほど跳ね上がる仕組みの保険です。

【低解約金型終身保険活用プラン】

①非課税枠の利用

最低でも死亡保険金は非課税枠を確保。

②法人契約の終身保険を利用

法人が契約者、社長が被保険者の終身保険を契約。

③個人へ名義変更

退職時に退職金の一部として、社長個人へ名義変更。

「所得税法基本通達36―37（＊）」により、保険は解約した時点で支払われることとなる解約返戻金の額（配当等含む）で評価されます。つまり**跳ね上がる前に名義変更すると、解約返戻金が30パーセント抑えられたままの評価額で、社長に終身保険を渡すことができる**のです。

払込満了時に、法人から社長に名義変更し、社長は、保険を本来よりも安い評価額（解約金相当額）で退職

＊暗記しよう **【所得税法基本通達 36-37】**

（保険契約等に関する権利の評価）

使用者が役員又は使用人に対して支給する生命保険契約若しくは損害保険契約又はこれらに類する共済契約に関する権利については、その支給時において当該契約を解除したとした場合に支払われることとなる解約返戻金の額（解約返戻金のほかに支払われることとなる前納保険料の金額、剰余金の分配額等がある場合には、これらの金額との合計額）により評価する。

（国税庁ホームページより）

金として受け取る。法人は、資産計上額と解約返戻金の差額が損金計上できます。

仮に1千万円払って700万円しか貯まっていない商品を名義変更すると、退職金として700万円が損金になり、しかも差額300万円も譲渡損に計上できます。

利益が少なければ少ないほど、自社株の評価は下がります。損金算入できれば自社株評価を下げる効果も得られます。

社長個人は本来よりも安い評価額700万円で退職金として受け取り、一生涯の保障1千万円超を得ることができます。

■資金効率の比較

50歳の社長が15年間計画で、終身保険1億円に65歳まで払込む場合、A【社長個人負担】とB【法人負担】では、どれくらい金額に差があるでしょうか。

細かい部分は省略しますが結論を言うと、AとBでは約1億6千万円の差がつきます。

A：個人負担　無配当終身保険

年払保険料：800 万円× 15 年＝１億 2000 万円
個人の税負担（所得税・住民税）：１億 2000 万円
保険料の負担：１億 2000 万円
支払い総額：２億 4000 万円

B：法人負担　低解約型終身保険

年払保険料：590 万円× 15 年＝ 8850 万円
個人の税負担：900 万円（退職所得税など）
保険料の負担：6200 万円（退職金評価）
支払い総額：7100 万円

＊金額はおおよその目安ですので、ご了承ください。

Ａは、社長の個人負担で保険料を払います。

高額な保険料を払うためには、少なくとも保険料の倍は所得が必要です。倍の２億４千万円から、所得税・住民税（50パーセント）１億２千万円が差し引かれ、残りが保険料です。

保険料と税金で総額２億４千万円、つまり保険料の倍額を負担していることになります。

Ｂの低解約終身保険料はＡに比べて保険料としても割安です。まずここで約３千万円が削減されるので
「経営判断が必要じゃないでしょうか！」

と社長に迫ることができます。

Ｂは、法人資産計上で８８５０万円の保険料を負担し、払込満了後、退職金として社長に名義変

更します。

所得税法基本通達36－37によって、このときの解約返戻金６２００万円の評価額で社長に渡すので、退職所得税等（在職年数30年のケースで）は約９００万円です。

社長個人の保険料負担６２００万円と税金９００万円で、総額７１００万円の負担です。

A：２億４千万円
B：７１００万円

約１億６千万円の差です！

法人で負担すると、社長は低い評価の保険（退職金）で一生涯の保障を得ることができ、かつ税金も少ない。

退職金に大きな控除や2分の１課税というメリットがあることがわかった社長に質問します。

「社長、退職金は今現金でもらわない時代なんですよ、さて何でしょう？」

「冷蔵庫でもらった人もいるからな」

いや、それはメーカーさんの都合でしょう（笑）。

「保険でもらうんです。低い評価でもらっても、その後戻ります」

この解約返戻金を年金支払移行すると、自分年金になります。また保障として置いておくと、相続の非課税枠や相続税の納税資金を確保できます。

6　会社のお金で一生涯のがん保険を準備する方法とは？

会社で保険に加入し社長個人に渡すメリットを前項で伝えましたが、終身がん保険に対しても同じです。これは、会社のお金で保険料を支払い、一生涯のがんの保障を社長にプレゼントする手法です。

２人に１人ががんにかかる時代です。しかし今、がんになっても早期発見をして最新の医療を受けることができれば、また会社に復帰することも不可能ではありません。がん保険は、会社と一体であるオーナー社長にこそ必要不可欠な保険ではないでしょうか。

■評価額０円で名義変更

会社が、40歳の社長に60歳払込完了の終身がん保険をかける場合

【終身がん保険活用プラン】

①法人契約の終身がん保険を利用

法人が契約者、社長が被保険者の終身がん保険を契約。

②保険料は全額経費算入

令和元年10月から30万円までが損金算入可能に。

③個人へ名義変更

退職時に退職金の一部として、社長個人へ名義変更。

40歳社長の年払保険料20万円を20年間、会社の経費で支払い、解約返戻金が０円になる60歳で法人から社長個人へ名義変更し、社長は一生涯の保障を確保することができます。

他にも、就業不能年金や介護保障付き医療保険などを働いているうちに年払保険料30万円以内で損金算入して払込完了し、その後、解約金が貯まっていない商品であれば、無償譲渡しましょう。

個人の保険と会社の保険……会社と社長が一体だから、別々に見てはいけません。

保険は会社から渡す方が資金効率が良くなったり、働いているうちに経費で払えて準備ができ、引退後も一生涯の保障を確保できます。

そのためには、会社と社長の保険を棚卸しなければいけません。

私たちは商品を売りに行くのではなく、ハイリスク請負業の社長に役立つ情報をお届けしに行くのです。

「法人保険と個人保険の最適化を図る」取組みが、相続・事業承継の悩みを解決します。

オーナー社長のハートをがっちりつかみ、悩み解決に役立ちましょう。

40歳社長の終身がん保険例

年払保険料：20万円（30万円まで損金算入できる）
累計保険料：400万円（全額損金算入）
がん診断給付金：300万円
がん入院給付金：１日目から２万円（１日につき）
がん手術給付金：40万円（１回につき）
がん死亡：200万円
普通死亡：30万円
＊がん死亡保険金の受取人：会社（雑収入）

＊金額はおおよその目安ですので、ご了承ください。

第4章　55連発誕生秘話

1　生命保険との出会い

■「人が好き」が原動力

私がこの仕事を続けている理由の一つに「人が好き」があります。

人が好きなんです。

できれば、その好きな「人」の役に立つ仕事がしたいと、学生のころから思っていました。

関西学院大学の法学部を卒業後、私は大手旅行会社へ入社しました。

実は他に、松下幸之助氏が創設したＰＨＰ研究所や、生活協同組合コープこうべからも、就職内定をいただいていました。


「one for all, all for one」

（一人はみんなのために、みんなは一人のために）

これはラグビーでチームワークを表す有名な言葉ですが、ＪＡ（農業協同組合）や生協でもよく見かける標語で、協同組合の理念を体現している言葉だと言えるでしょう。私は、コープこうべのこの理念に惹かれていました。

当時はまったく気が付きませんでしたが、これこそ保険の精神ですね。保険は相互扶助から生まれた仕組みですから。

旅行会社に入社して私が担当したのは、企業や業界団体の視察旅行の営業でした。海外の事例について書かれた本を読んで、現地を見聞してきた著者へ会いに行き、話を伺いました。ある著者は大学教授で環境問題の権威だったので、その教授と一緒にもう一度現地へ行く視察旅行を企画したりしました。

その教授が「行くぞ」となったら賛同する企業がたくさんあり、話題性を求めているメディアもありました。教授を取り巻く企業、それを取り上げて広めたい新聞社などの媒体……そういう力学を考えて企画すると、参加する企業は多額な旅行費用を出してくれました。

旅行を通して、社交クラブである大阪倶楽部や関西経済連合会や商工会議所などに所属している経営者の方々とつながることが多くありました。

趣味でワインの醸造所や古城、美術館巡りなどといった個人的な海外旅行にも、「大田さん一緒に行こう」と呼ばれて添乗したりしました。

せっかくの旅行ですから、素敵な思い出を作っていただきたい、何か得るものがあってほしい……そんな想いから、現地資料を作成したり、のど飴やおしぼりを持って行ったり、ひもを引っ張ったら景品が当たるようなゲームを持って行ったり……旅行中もリラックスして楽しんでもらえるよう趣向を凝らしました。


そのころ出会った一流ビジネスマンや経営者の方々は、ディナーのときに店に置いてあるピアノを何気なく演奏したり、知的好奇心にあふれ、会話もスマートで……人間的にも素晴らしい人たちだなと感じました。

知的な出会いや新しい知識を得ることに興味があったので、そのころの私は仕事にやりがいを感じていました。

■コントリビューション＝コミッション

生命保険営業は数ある営業の中でも難易度が高く、継続が難しい業界だと言われています。

そんな生保業界へ転職したのは、私が31歳のとき。同期の中でも、私は「絶対やめない」と思われていた一人でした。ただ、インターネットに押されて旅行代理店は将来的に厳しくなると考え、保険業界に転職した先輩がたくさんいました。

当時、仕事がとてもハードでした。

会社に泊まり込みは当たり前、偉い人から順番にソファーなどの柔らかいところに寝て、私たち下っ端は地べたに寝るか、玄関マットに横になっていましたから（笑）。

視察旅行の業績が評価されて、事例を発表したり表彰されたりして、自分なりに頑張っているつもりでしたが……だからといって報酬は上がらず、人とは差別化されませんでした。

そんな時、大手生命保険会社から勧誘がありました。

転職した先輩の所属している生命保険会社の営業所の所長が、給料明細を見せるのです。

驚きましたよ、ひと月３００万円ですから。

「大田さん、ＣイコールＣって知ってる?」

と、所長に言われました。

contribution = commission
（コントリビューション＝コミッション）

お客さまへの貢献したことが、あなたの手数料であなたの実力だと。お客さまの役に立ったら役に立った分だけ、給料に反映されるよと。

コントリビューション＝コミッションと聞き、桁が違う給料明細を見せられて、私の心は強く揺らぎました。


私はふと、旅行と保険の共通点に気が付きました。

老若男女を問わない。

法人も個人もアプローチできる。

どちらも形がない。

私は形のない旅行を売ってきたので、保険も行けるなと思いました。


結婚もしていましたし、転職すると住宅ローンが借りられなくなると聞き、住宅ローンを組んで家を購入してから退職しました。

「自信があるなら転職しても頑張って」

妻は快く見守ってくれました。

自信満々だったんです……そうしたら鼻をへし折られて、５年もしないうちに食べていけなくなりましたけれども。

■最後のラブレター「保険」に感動

私が転職する少し前から、保険業界には「保険を変える」というムーブメントが巻き起こっていました。

生命保険は戦後からずっと定期付き終身保険の全盛期で、女性の生保レディが縁故を頼って販売することが多かった。残された家族を守るとき、百人いれば百通りの保険の種類がありながら、それまで1パターンの保険を売ってきたのです。

そこで新しい生命保険会社が誕生し、一人ひとりのライフプランに応じた生命保険をオーダーメイドで提供するという販売手法が登場しました。

顧客の価値観やニーズを把握し、人生を設計する。

その人の家族構成、ライフイベント、いつどんなことがしたいなどを丁寧にヒアリングし、万が一のときに支払われる遺族年金、死亡退職金、家計、子どもの教育費などを計算し、その人に合った保険を提案する。

その家庭が抱えているライフプランの実現が志半ばだったときに、届ける「最後のラブレター」が「生命保険」なのだと、深く感動しました。

このときの感動は、今も私の心に刻まれています。

今は、サラリーマンよりももっと過酷な立場にいるのが社長だと気付いたので、オーナー社長のライフプランに一番着目しています。それがハイリスク請負業の社長を守りたいという私の経営理念にもつながります。

当時の感動があるからこそ、つらくて投げ出そうと思ったこともあるけれど、今までこの仕事を続けることができました。

2　恐怖のメンタルブロック

■思いっきり勘違いの営業スタイル

転職した私は、大阪にある支社の所属となりました。そこには多種多様な業種から転職した男性が百名以上在籍し、人種のるつぼのようでした。

転職条件は、営業職で10年以上経験があり家族持ち……保険のニードがわかるからだと言われましたが、営業を教える必要もない、人脈は持っている、家族があるから自分も保険に入っている……これがヘッドハンティングの条件だったと思います。

最初に親類縁者、友達、知り合いなど、300名の顧客リストを作成しました。

「これだけあったら大丈夫。XYZの無限連鎖といって、紹介が紹介を呼ぶ仕事だからね」

それが私にとって幻だったことに気付いたのは、半年後のことでした。

初月にノルマがあったので、まずは前職の後輩から当たりました。

「生命保険の新しい考え方を伝えたいから」

と電話して、保険の話をしに行くと、後輩も断れません。

すごく高邁な志がありながら、頼むと契約してくれそうな人たちに会いに行ったので、自分自身で勘違いをしてしまったのかもしれません。

お陰様で初月ノルマも安易に達成し、数か月は順調でした。


最初のやり方が間違っていたのでしょう。

契約してくれた人たちが、本当に私の話に感動してくれていたなら、紹介が出たのかもしれません……が、出ませんでした。

生命保険に感銘を受けて転職したつもりなのに、行きやすいところから契約を取りに行く。給料もよくなって、これならいけるやん、と。

でも、紹介が出ない。


そこで、ふと気が付きました。

旅行と保険……似ているけれど違う。

旅行は人に「待ってました」「行きたい」「知的好奇心をくすぐる」という楽しい気分を与えるのに対して、保険は「万が一のとき」「残された家族」など嫌なことを言わなければいけない。

どちらも老若男女問わず、個人や法人、どこでも行けて形がない商品ですが、保険はひと言目の言葉の発し方で、拒絶されるかもしれないのです。

人が好きでしたが、私はメンタルが弱かったので、拒絶されると怖くなってうまく話せません。うまく話せないから、また拒絶されますます怖くなる……という悪循環でした。

■落ちていく紹介のスパイラル

転職して半年くらいから、壁にぶち当たりました。

電話するのも怖く、アポがないから焦る。これはやばいなと感じました。断る方もつらかったと思いますが、断られたら落ち込み……泣いていました。

それでも、まあまあ忙しい。平日は夜から仕事に出かけたり、土日はプレゼンで休めなかったり。

伝え方もだめでした。

今なら、

「保険というツールを使うと具体的に○○ができますよ、関心があればお教えしましょうか？」

と話しますが、当時は自分から前のめりで、

「保険は本当に素晴らしいんです」

熱心に伝えることで相手が動くと、勘違いしていたのでしょう。

紹介営業の怖いところは、上がっていく人と落ちていく人に分かれるところです。

私は紹介をもらう力が弱かったので、落ちていきました。紹介者も、私には自分より

目上の人を紹介してくれません。

紹介営業の上手な人には、

「お世話になった大事な人を紹介してあげたい」

「自分の上司を紹介したい」

紹介の質がどんどんアップしていきます。

紹介営業の下手な人には、

「このレベルだったら、自分より下の人しか紹介できないな」

契約者からそう思われ、質はどんどん下に落ちていきます。


もちろん単価も下がります。

「生協でこんな保険に入っているんだけど、どう?」

そう言われてしまっては、なかなか単価で勝てるわけがない。

それでも、少しでもいいから契約をもらいたくて、土日にプレゼンに行ったりしていました。

在宅がわかっているのに無視されたり、アポを突然キャンセルされたり……それだけ自分に価値がなかったのでしょう。

当時、私にはメンタルブロックがありました。

保険料月払5万円は高いと言われ、2～3万円を追いかけていました。

でも、仕方ないのです。

その時は気が付きませんでしたが、自分の価値が保険料に反映されていたのです。


【紹介のスパイラル】

紹介してもらった相手に、自分のできることが明確に伝わると
↓
メリットを感じてもらえる
↓
メリットを感じると、相手に知りたい欲求が生まれ自分に会いたくなる
↓
教えることで相手の先生になり、相手は他の人にも自分を紹介したくなる

■通帳の残高は5千円に！

紹介が出ないとなると、新規に行かなければなりません。

社内プロジェクトで、葬儀マーケットやハンディキャップを持つ人のマーケットなど、次々と試しました。

社内研修を受け、「寺院には終身保険が売れるよ」という情報に飛びついて、幸運にも新規契約が取れたりしてました。

でも少しは結果が出るけど、継続しない。

たまに法人保険が取れたりして……それは単にラッキーなことで、再現性がありませんでした。

場当たり的にいろいろなマーケットに手を出し、ぽつぽつと契約が決まったので、なんとか食べていけたのでしょう。

それが4年半続き……貯金残高が5千円になり、もう食べていけないとカードローンも借りました。

周りを見回すと、辞めていく人がいくらでもいました。

さまざまな業界で10年間営業を経験したトップの営業マンが、保険業界に転職して……妻子持ちで、私のようにアドバイスを受けてローンを組んだりしていました。

彼らは経済的に困窮すると、まずは離婚から始まって、車を手放し、家を手放し、中には自殺した人もいました。

私もコントリビューション＝コミッションと言われ、やる気も夢もあって業界に入ったのですが……挫折して、もうだめだ、保険営業は向いていなかったな、もう転職しようかなどと考えました。

当時私は36歳。小学校に入学する長女と、４つ下に長男も生まれていました。もちろん住宅ローンもありました。

悶々《もんもん》とした日々を過ごし、うつ状態が続きました。

■タイムマネージメントの力

私が最終的に落ちなかった理由は、タイムマネージメントができていたからだと思います。タイムマネージメントとは時間管理で、目的を達成するためのタスクを効率的に進め、時間を有効活用しコントロールすることです。

保険営業で、売れていてもどんどん落ちていく人は、タイムマネージメントができていません。

毎日規則正しく生活する。

朝シャッターを開け、夜はガラガラと閉めるという商店経営のようなイメージを持つことが重要です。

私たち保険営業パーソンは、時間的に自由な職業です。誰も何も言わない。自由なだけに、流されたら落ちていってしまします。

私は保険は売れていなかったけれど、タイムマネージメントの意識だけはありました。

このタイムマネージメント力は、大学生時代の４年間、夏休みに北海道の酪農家に住み込みバイトをして身に付けました。５時55分に起きるようになったのは、その経験からです。旅行会社勤務時代も、起床は５時55分でした。

実は、私が生み出した『55連発』は、朝５時55分に起きることからのネーミングなのです！

酪農家のバイトを選んだのは、肉体労働が好きだったからです。酪農に感動し、彼らが営む規則正しい生活に憧れました。

オホーツク海岸を臨む場所で、大自然がありました。清らかな川をのぼってくる鮭を捕って食べたり、水平線の彼方へ沈む夕陽を眺めたり、都会では考えられないような体験をしました。酪農家の主人は、サトウキビに似たてん菜の焼酎を飲みながら、明日の日本を語る。毎晩一緒に私たちと酒盛りして……でも朝は５時55分に必ず起きる（笑）。生きているなと実感する毎日でした。

どん底だと感じたときでも、夜12時には寝て朝５時55分に起きる生活を続けました。

3　保険をＮＧワードにして活動

■経営コンサルタントとタッグを組む

生保業界に身を置いて約４年が過ぎたころ、ある乗合代理店が新しい事業をスタートするのに人材が必要だと、知り合いが声をかけてくれました。

それは経営コンサルティング会社と提携し、法人に保険を売るというプロジェクトでした。


私は、法人保険の攻略法はわからなかったけれど、旅行会社時代に培った経営者に対する感覚はありました。


個性的な経営者たちと海外旅行で寝食を共にし、夢を語り合った記憶がよみがえり、

「経営者の役に立つ保険を売ってみたい」

そんな気持ちが、ふつふつと湧いてきました。

平成10年、私はそれまで悪戦苦闘していた生命保険会社での個人保険営業をやめ、乗合代理店に就職しました。

提携先は大手経営コンサルティング会社。売上アップを目的としたコンサルティングが定評で、コンサルタントを何百人も抱えていました。

畳チーム、パチンコチーム、仏壇チーム、自動車ディーラーチーム、焼肉店チーム、自動車販売チーム……多種多様な業種に対してそれぞれ専門チームを結成し、顧客の売上アップに貢献していました。

プロジェクトチームの担当は、代理店から西日本と東日本で1人ずつ、私は西日本の担当でした。大阪にある提携先に常駐し、その会社の本部長の隣に席を置きました。

今でも私が師匠として尊敬している團弘志さんが、当時のプロジェクトチームリーダーでした。團さんはカリスマ的存在で、彼の研修や勉強会にはたくさんの人が集まりました。

團さんが、コンサルタントたちを集めてプロモーションしたときに話したコンセプトがあります。

「売上を上げましょうとコンサルティングしても、その上がった売上を会社に残すのはなかなか難しい。ましてや、社長個人の手取り収入を増やすことはもっと難しい。さらに、社長から次の世代に相続するときに財産を残すのは非常に難しい。『会社・社長個人・次の世代』にお金をどう残すのか……それを実現するのが私たちプロです」

会社にお金を残すプロが、私たち代理店のプロジェクトチームだということでした。それがすごく儲かることがわかり、今や提携先は自社でされていますけども（笑）。

■生命保険という言葉を使わない訓練

生命保険会社時代、ろくに生命保険が売れなかったので、私は法人保険が売れるのはラッキーで、運だと思っていました。


経営コンサルティング会社の顧客である会社の経営者に、

「退職金の積立には、生命保険が非常に効果的ですよ」

という話をしようものなら、

「ああ、それ知ってるよ」

一瞬で終わってしまいます。

経営者であるオーナー社長は、保険の話なんてこれっぽっちも聞きたくないのですから。


しかも、経営コンサルティング会社のメンバーとして顧客のもとに行っているので、私自身もコンサルタントとして振舞わなければなりません。

ですから、生命保険のパンフレットすら出してはいけないんです。

「こんな新商品、いかがですか？」

なんて口が裂けても言えませんでした。

保険の売れないダメダメ営業マンが、生命保険という言葉を使わないでパンフレットを見せないで、結果、保険を売らないといけない……そんな難しい宿題を与えられました。

この宿題をこなすため、私はそれまでの思考や行動を徹底的に洗い出し、すべてにおいて訓練、訓練、訓練と生まれ変わったのです。

團さんには、たくさんのことを教えていただきました。本当に、私は彼におんぶに抱っこだったと思います。

團さんと顧客のところへ行き、彼がその会社の社長とする会話をＭＤに録音し、それを徹底的に何度も繰り返し聞きました。

決算書を見せてください……から始まり、社長がどんな言葉を使っているのか、会話のやり取り、声のトーン、前のめりに食いついた話題、逆に興味を示さなかった話題……。

ＭＤを聞いてわかったことは、社長は時間が限定されている人物で、忙しく、基本的に短気だということ。

そこで、保険の条文や退職金のメリットなどを、わかりやすく3つにまとめ、単語帳に書いて丸暗記しました。

結果的に、私が考案した『55連発』のメニューは、当時生み出したものがベースとなっています。

会社経営の中で、保険を使えばさまざまな問題解決ができる。手取り収入が増え、相続が軽くすみ、財務体質が強化される。銀行や証券会社ではなく、保険という金融商品を上手に使うと、会社と社長のお金が守れます……それを「保険」という言葉を使わずに、経営者の心に響くように伝える。

会社にお金を残す。
社長にお金を残す。
次世代にお金を残す。

その手法が、55連発ですから。

■いきなりMDRT入りを獲得！

團さんが経営コンサルタントにプロモーションをしたとき、トップ営業であるコンサルタントの反応がとてもよかったのを覚えています。

営業の本能で、これはいけると感じたのでしょう。

いきなり富山の建設会社を紹介され、経営コンサルタントに同行し、時間をもらって話をすると、年払で4千万円の保険契約が取れました。

驚きましたよ、金額の桁が違いますから。

それまで追いかけていたのは、年間20万円や30万円の保険でした。

それが4千万円！

実は、自分自身、こんな保険は取れないだろうと思っていました。これがメンタルブロックでした。

「こんな額の保険を提案していいの？」

自分でブロックしているのです。

それを外してもらったのが、この体験でした。

応接室に通されて高級寿司をごちそうになりながら、契約は決まるし、社長にはすごく喜んでもらえるし（笑）。

いい仕事だなと感じました。

生命保険会社時代の４年半は、ハワイ旅行に行くような社内表彰を受けることもなく、キャンペーンでも優勝したこともなく、ＭＤＲＴ（当時１千万円くらいのコミッションが入会基準）にも入ったこともありませんでした。

でも経営コンサルティング会社とタッグを組んで、いきなり４千万円の契約成立で、ＭＤＲＴ入り。

妻もとても喜んでくれて、さっそく子どもたちを連れて焼き肉を食べに行きました。

我が家では、嬉しいことやお祝い事があると、決まって焼き肉を食べに行くんです。

「いくらでも気にせず、どんどん食べてもいいよ（笑）」

それからというもの、家族で焼き肉を食べに行く頻度が増えました。

■時間との勝負

それからも、いいお客さまに恵まれました。

その経営コンサルティング会社の実績は素晴らしいものでしたから、ありがたいことに、どんな顧客のところへ行っても、すぐに社長の前に通されて話を聞いてくれました。

特に地方にはその会社のファンがたくさんいて、経営コンサルタントは神様みたいな存在で、訪問するだけでケーキやお寿司が出る（笑）。

当時、一番料金の高い経営コンサルタントは本部長で、費用は1回6時間訪問で60万円でした。

顧問先の社長を前にしてその本部長に、

「大田さんに2時間あげる」

と言われるんです。

2時間ということは、20万円。その価値に見合うだけの内容を提供しなければなりません。

ものすごいプレッシャーを感じました。

また、交通費は自費でした。

西日本を私一人で担当していたので、馬鹿になりません。

例えば、奄美大島なら1泊コースです。

奄美大島の名瀬市はパチンコ人口が日本一。さぞパチンコ店は儲かっているだろうと紹介されて行くわけです。ただし、往復交通費と宿泊代合計で10万円強。

普段なら3回で契約までもっていくところを、2回で収めたい。お客さまの時間も無駄にできない。

クロージングまでに、どれだけ社長のハートをつかむのか。

「ああ、それやってよ」

と即座に言ってもらえるように、テクニックを磨かざるを得なかったわけです。

こうして私は、凝縮して話す訓練を必然的にしなければなりませんでした。もちろん、朝5時55分に起きて。

お客さまに役立つ提案ができ、喜んで契約していただける……こんな幸せなことはありません。

メンタルブロックが外れ、私はどんどん邁進していきました。1社から年払保険料合計2億1500万円くらい契約が取れるようになり、10年連続してMDRTに入り終身会員になりました。

また保険営業界の最高峰であるTOT資格を1回、次のランクのCOT資格を4回獲得することができました。終身会員になってからは、MDRT登録はしていません。

■セミナー営業

平成8年4月から新保険業法が施行され、生損保の相互参入が実現。生命保険会社が損害保険子会社を、損害保険会社が生命保険子会社を作ることが解禁されました。

そこで、私の所属していた代理店では、損害保険会社の代理店と提携して、セミナー営業を開始しました。

損害保険会社が開催する安全協力会や中小企業の研究会などで時間をもらい、参加者が興味を持つような「財務体質をとことん強化」「目からウロコのお金を残す手法」などのテーマでセミナーをします。

團さんがセミナー講師、個別相談を私が、それぞれ担当しました。

セミナーで先生になり、その後の個別相談で保険契約まで持っていく。当時このようなセミナー営業はほとんどなく、手応えがありました。

セミナー後個別相談に持ち込まないと、保険契約までいけないので、アンケートも工夫しました。團さんにセミナー中にどこまで答えを言ってもらうのか、個別相談ではどんな提案が可能なのか……そういったことを考えていくうちに、メニューがどんどん増えていきました。

セミナー営業が好評で忙しくなり、私も講師を担当するようになりました。

團さんは話上手ですが、私は人前で話すのが苦手。緊張したときの対策として、パワーポイントを穴埋め方式にするなど工夫しました。途中で頭が真っ白になったときでも、次をクリックすると答えが出てくる。

「これ、大事ですから、書いておいてくださいね」

プロジェクターに文字が出てきて、さも覚えているかのように話します（笑）。

セミナー営業は営業なので、参加者に「相談したい」と思ってもらい、次に会う約束をすることが目的です。

セミナーでは、答えを言ってはいけません。

セミナーで問題解決手段がすべてわかって

「はい、ありがとう。後は自分でできます」

となったら、次に会う約束が取れませんから。

参加者に、もう少し詳しく知りたいと思ってもらうために答えを言わず、5つほど疑問が湧くようにします。

「具体的に何をどうしたらいいの？」

前のめりに質問してもらうと、その時点でこちらは答えを教える先生になります。

私のセミナー営業スタイルは、セミナーで使用するパワーポイントのプリントアウトを参加者に配りません。アンケート回答者のみに差し上げます。アンケートには関心事項に丸をつけるように、いくつかの項目が記載されています。

例えば、私の相続セミナー用アンケートですが、「孫への贈与契約書見本がほしい」に丸をつけたら、その人は孫に贈与したい人です。次の個別相談で何の話をしたらいいのか、必然的にわかりますね。

私のセミナー営業のポイントは、次の通り。

・答えは言わない
・パワーポイント資料は渡さない
・レジュメの答え部分は空白にする
・できるだけ専門用語を使わない
・お金の問題解決をしてくれる人だとレジュメに書いている
・具体的なことは早口で話す
・55連発のうち3つから7つだけを話す

■生命保険の枠にとらわれない

「最高の道徳とは、不断に他人への奉仕、人類への愛のために働くことである」

これは、私の尊敬するマハトマ・ガンジーの言葉です。
人は何のために生きるのか。
人のために働き、人に喜ばれ、人を幸せにする。
それこそ最高の道徳である。

今まで経営コンサルタントと同行して出会った経営者や、セミナー営業で出会った社長たちの悩みを聞いていくうちに、私には、もっともっと彼らの役に立ちたい、問題解決をしたいという欲求が出てきました。

オーナー社長の事業継続に役立つことを提案し、喜ばれ、幸せになっていただくことが、自分のやりたいことだと気付いたのです。

その背景として、子どものころの体験が影響しているのでしょう。

実は私の両親は、私が小学校5年生のときに離婚しました。市職員だった父が仕事を辞め、起業したことに起因します。

母にはひと言も相談なく、父がいきなりお好み焼き屋を始めたのですが……うまくいくはずもなく、家計は火の車……挙げ句の果てに、家庭は崩壊。母は女手一つで、私と妹を育ててくれました。

また高校時代、親友のお父さんは鉄工所のオーナー社長でした。

ある年末、同級生の友人たちとその鉄工所に集まって遊んでいたら、工場内の地面に描かれていた製図が消えてしまいました。お父さんがすごい剣幕でやってきて、ものすごく怒られました。

その数日後、お父さんは自殺したのです。

製図が消えてしまったことが自殺原因ではなかったのですが、とてもショックで、とても責任を感じました。

独立した起業家やオーナー社長は、事業がうまくいかなければ家庭崩壊、最悪の場合、命まで失う。

お金は、社長にとっての鎧《よろい》です。

社長は、会社にお金を残さなければいけない。

社長個人にも、お金を残さなければいけない。

次世代に引き継ぐときにも、お金を残しておかなければいけない。

そうしないと、家庭も、会社も、従業員も、取引先も守れなくなる。社長はそれだけのものを抱えていて、責任重大です。その責任とは、ひと言でいうと事業継続。お金がどこかにあれば、事業は継続できるのです。

つまり、お金は社会貢献のツールなのです。


ハイリスク請負業であるオーナー社長にとって役に立つことを考え提案し、その結果、事業がうまく継続できたとすると、こんなにやり甲斐のある仕事はないでしょう。

探していくと、役立つものは生命保険以外にも数多くある。

私は更なるアイテムを海外へ求め、アメリカの不動産やシンガポールのプライベートバンクなども視野に入れました。自分の専門分野ではない部分で役立つことがあれば、その道のプロにも声をかけました。

しかし役立つもの、その人にとってのベネフィットを探して活動すると、それにはフィービジネスの要素がありました。代理店と私の方向性が変わってきたんです。

そこで私は独立し、新しく会社を立ち上げました。

4　55連発で日本を元氣に！

■ハイリスク請負業の社長に寄り添う

平成20年、私はニッケイ・グローバル株式会社を設立しました。

ハイリスク請負業の中小零細企業の経営者に寄り添い、事業継続するため、財務体質強化、経営者の可処分所得増大に役立つ、その企業の売上アップ・成長に寄与する。

オーナー社長に寄り添って、問題解決のために役立ちたい。

私の想いが、そのまま会社の経営理念として掲げられています。

ある地方のロータリークラブに、セミナー講師として呼ばれたときのことです。セミナーで、保険の機能について相続放棄の話をしました。相続を放棄しても、生命保険の死亡保険金だけは受取人固有の財産で、受け取ることができるという話です。

終了後、ロータリークラブの会長が私のそばに来て言いました。

「今、俺が元気なうちに対策しておかなければいけないことだな。大田さん、それを教えてくれてありがとう」

ロータリークラブの会長といえば、その土地の名士です。その彼が、相続放棄を念頭に置いている……経営者はどんな時も必死に生きているんだと、気付かせてくれたひと言でした。


2億円の役員貸付金を背負った社長もいました。

先代であるお父さんが亡くなり事業承継したときに、分散していた株式について、株主から株式買取請求を迫られたそうです。議決権の問題もあり、買取しないと経営が成り立たなくなる恐れもありました。

その買取費用2億円を社長個人が用意できず、自社から借りたのでした。株を買い戻したいために、2億円もの借金。巨額の役員貸付金は銀行から嫌がられます。大きな問題でした。

私の保険知識を総動員し、頼れる専門家に声をかけ解決に挑みました。

借金返済のために保険を活用しました。将来手取りが一番多くもらえる退職金を保険で準備し、個人で払っていた生命保険を会社で支払い、法人契約した生命保険や医療保険を社長にプレゼントする……打てる対策はすべて行いました。

また人脈を駆使して、役員の社会保険料を下げ、さまざまなコスト削減もしました。

お金を残すために役立つことを、全部やらないと間に合わないくらいの金額でした。


「税理士の顧問料を、大田さんに払いたいくらいだ」

その結果、社長にそう言っていただけるまでになりました。

顧問税理士は何もしてくれず、アドバイスも一切なかったそうです。

とても重たい宿題でしたが、今はもう返済できることが明確なので、お金の心配がなくなり、社長は本業に力を注いでおられます。

実は、このとき一番喜んでくれたのが、専務である奥さんでした。

社長は先代から受け継いだ自身の会社ですから、これも運命と思っていましたが……

奥さんにすれば、なぜ会社のためにこれほどまで苦労をしなければいけないの……という気持ちだったのでしょう。

会社を守るために、社長が会社から2億円を借りざるを得なかった。従業員にはわからない、誰にも相談できない悩みでした。

会社と社長が一体だからこそ抱える問題の最たるものでした。

■親父のような存在、井上得四郎先生との出会い

会社を立ち上げた私には、学びたい欲求がどんどんと湧いてきました。そこで生保営業の3大勉強会と名高い「優績倶楽部」へ参加し、多くの学びと朋友を得ました。

そこで運命的な出会いがありました、井上得四郎先生です。井上先生は、税理士でありながら日本で一番法人保険を売った……知る人ぞ知る人物です。

私は井上先生から法人保険の王道を学びました。

法人保険の王道とは「会社も守る・社長も守る」という考え方。中小企業の経営に役

立ち、オーナー社長のライフプランを実現する保険……まさに私の求めていたものです。

「これだ！」

私は法人保険の王道を極め、自らのライフワークにしようと思いました。


井上先生は生命保険に精通した税理士育成に尽力されていましたが、その後、保険営業パーソン育成のための勉強会を開催していました。

井上先生と棚橋隆司氏の共著『これで企業財務はよみがえる！』の中で、「社長個人と会社は表裏一体で不可分の関係」の図を見つけた時の衝撃は、計り知れないものがありました。オーナー社長の痛みや悩みに寄り添いたいという、その後の私の心構えと理念を決定付けたと言っても過言ではありません。

学ぶ目的は中小零細同族経営者支援で、経営・財務・税務にとどまらず、不動産・リーダーシップ論・アドラー心理学に及び、まさに「法人ＦＰ学」でした。井上先生以外の講師も、井上先生の人脈をフル活用した一流の先生ばかりでした。

北海道の女満別から八戸、仙台から福岡や熊本……全国を縦断して研修を開催されていた井上得四郎先生を、私は熱心に追っかけました。

井上先生はべらんめえ調で、めちゃくちゃ迫力がありました。

経営者の本当の痛みがわかる人で、中小企業経営者を守りたい人。

寿司好きで、食べて飲んで話すのが好きな人。研修でも人のつながりを大切にするので、懇親会が先か、研修が先か（笑）。

最終的に私は優績倶楽部の幹部役員になり、その後倶楽部は解散しましたが、学んだことを中小企業経営者に伝えてほしいという井上先生の意志を継ぎ「経営者を元氣にする会」を立ち上げました。

先日もＺｏｏｍでセミナー開催し、約１５０名の経営者や士業、ＦＰが参加しました。


今でも井上先生が集まろうと声をかけると、先生の大好物であるお寿司をいただきに、全国から人が集まります。とても人望のある人です。

ある日、金沢でお寿司を食べながら井上先生に、

「形見分けや」

とブランド物のネクタイをいただきました。それもラッキーセブン、７本も！

私は「ここぞ！」というセミナーで、勝負ネクタイとして締めています。

まだまだ井上先生から学びをいただきたい。私はさみしがり屋なので、みんなと仲良くやっていきたいのです。

人生において学びは重要です。志を同じくして共に学ぶ仲間（朋友）は、何ものにも代えがたい宝物です。

みなさん、一緒に「法人保険の王道」を学んでいきましょう。

■再現性があるとは、誰にでもできるということ

ニッケイ・グローバルを創業してからも、基本的な私の営業スタイルは同じで、オーナー社長に寄り添い、悩みをきき、問題解決ツールとして保険を活用していました。

そうしていくうちに、提案できるメニュー数が増えていきました。

「いっぱいあるね、一体いくつあるの？」

あるとき聞かれ、数あるメニューを整理しました。

「そうだ、ゴロがいいから55（ゴーゴー）にしよう！　55連発、いい響き！」

閃《ひらめ》きました。

私はぞろ目が好きなんです。ノリも良く、縁起を担ぐ意味もあります。５５５も目指そうかと思ったのですが、さすがに多すぎると断念しましたが（笑）。

しばらくして、研修を受けにある研修会社に行くと、旅行会社時代の西田章宏先輩がその会社の専務でした。

「どんな仕事のやり方をしているの？」

西田さんに聞かれたので、55連発のメニュー表を見せました。

「〇〇という問題解決は△△保険でできますよ、という提案をしているんです」

「これを見せたら、誰でもできるの？」

「きっと、そうだと思います」

「じゃあ、大田さんのノウハウ全部出して～」

西田さんがにっこり笑って、私に言うじゃありませんか。先輩には「ＹＥＳ　オア　はい」

なので断わるなんてできません……いえ、喜んですべて出しました（笑）。

55連発は、誰でもできる再現性のあるメニューです。

初心者でも、メニューを見せてアプローチすると保険が売れます。この問題解決方法を教えてと聞かれたら、それに合った保険を提案すればいいので、難しいテクニックはいりません。

55連発を見た西田さんは、私に研修講師を依頼しました。

当時、保険業界でお世話になって20年を迎え、私は業界に感謝していました。生命保険に出会い人生が大きく変わりましたし、保険が大好きでした。

その想いを人に伝えて残していったらどうだと、西田さんに説得されました。

■保険営業パーソンの先にいるオーナー社長に届け！

いきなり55連発のすべてを伝えるのではなく、今から7年前に初めてプレセミナーを開催しました。すると百人以上が集まり、好評でした。

関心が高いならと、カリキュラムを組み、本格的に研修プロジェクトがスタートしました。

基本は2日間コースで、プレミアムコース、スーパープレミアムコース、フォローアップが付いているウルトラスーパープレミアムコースなどがあります。


参加者の中には、大手生命保険会社のエグゼクティブクラスの人たちや大型代理店の経営者もいました。これまで感じたことのない、すごいプレッシャーでした。

そこで、社長とのトークや話し方を伝えるスタイルで、研修を行いました。

「私よりも売っている人もいる中で、まさか、同業の方に自分のノウハウを話すことになるとは思いませんでした。あなた方の先に、中小企業のオーナー社長がたくさんいるイメージでお伝えします」

話そうとすると、あやふやだったことを気付かされます。言葉を整理する訓練ができました。

またチャットワークといって、一定期間質問をし放題というフォローアップもし、きわどい質問やマニアックな質問など、たくさんいただきました。

セミナー講師のメリットは、話したことに対するフィードバック……質問をもらうことです。時代の変化が早いので、お客さまの質問が参加者を通して私に投げかけられます。オーナー社長たちが今どんな悩みを抱えているのかが、ダイレクトにわかります。

私はいつも研修を行う保険営業パーソンのその先に、オーナー社長がいると考えています。

私の研修を受けた保険営業パーソンが、一人でも多くのオーナー社長の問題を解決してくれたら……それが私の望みです。

今年で研修は足かけ6年、シーズン7が終わり588名が卒業しました。

私には、現役でいるからこそ発信できるという強みがあります。新しいことをたくさん試し、実務を実践しているので、説得力がある生の声を伝えられると確信しています。

■オーナー社長の元氣こそ、日本の活力

私は、子どものころは貧乏でした。

母に気をつかわせまいと、クラブに入るときにはジャージの値段を見て躊躇《ちゅうちょ》する子どもでした。母は優しく、自分が食べなくても、子どもたちに分け与えて育ててくれました。

社長はもっと大変です。

社長にとって、従業員は子どものような存在です。自分自身が食べられなくても、食べさせなければならない。従業員に支払う給料は会社にとって債務です。必ず払わなければいけない。でも社長自身は会社にお金がなかったらもらえません。月給百万円と決めていても、来月0円かもしれないのが社長です。

倒産すると従業員は職を失うけれど、家屋敷を失うことはありません。でも銀行で借金していると、社長は担保に入っている家屋敷までも失うのです。

また事業が軌道に乗って儲かると、自社株が上がって財産価値を持つ。よそに簡単に売れるものではないのに、次世代に引き継ぐときは高額な相続税が課せられます。

自社株の他にも、事業で使っている不動産を事業承継者に譲ると、他の親族ともめるかもしれません。法定相続人にはもらえる権利がありますから。

法人保険マーケットは高額なコミッションがあるからと研修では伝えるし、実際そうですが、法人保険を販売する本来の目的は、社長の本当の痛みや悩みを解決することです。

オーナー社長の手取りを増やすこと、会社にお金を残すこと、次の世代にお金を残すこと、それが保険でできるのです。

調子のいい会社もありますが、そうでない会社もいっぱいあります。

税理士や銀行は、会社の決算書は見ているかもしれないけれど、社長個人の人生設計とか社長の家族には何の関心もありません。

私の仕事は、そんな社長のライフプラン支援業だと思っています。

社長と会社と次世代へお金を残すことによって、社長の人生設計を応援する。

事業継続のためにはどこかにお金を残さないと、黒字でも倒産するのが日本の企業です。会社か社長のいずれかにお金を残しておけば、事業は継続できます。会社と社長は一体ですから。

保険ほど役に立つものはありません。

保険にはそれができます。

そのノウハウは、私が教えます。

さあ、今こそ立ち上がり、日本を支えている中小企業のオーナー社長を一緒に守っていきましょう。

あとがき

生命保険を愛するこころ

生命保険業界に身を置いて、約25年が経ちました。

今回この『ウイズコロナ時代の税理士を超える大田式【法人保険販売術】』を執筆するにあたり、これまでの私の保険人生や営業スタイルを振り返ってみますと、改めてあっという間の25年だったと感じます。そして自分のやり方がずっと変わっていないことに気が付きました。

私は、保険ラブです。

それは保険ほど、ハイリスク請負業のオーナー社長を守るものはないからです。

社長から共感を得たこと、保険販売をして「ありがとう」と言われる喜び、頑固な社長が腹を割って本音を話してくれる喜び……この仕事を続けてきて本当によかった。

私をここまで育ててくれた保険業界と、師匠の井上得四郎先生、團さんや西田さんをはじめ諸先輩方、今まで出会ったお客さまに、感謝の気持ちでいっぱいです。

ウィズコロナ時代の専門家はいません。

オーナー社長は、手元資金確保のためのいろいろな情報を整理して提示してくれる人から、話を聞きたいと考えています。今はお客さまとの面談も制限される状況ですが、今後いくらＡＩが発達しても、百の会社があれば百の社長の悩みや展望があり、それに寄り添う提案はＡＩでは無理でしょう。

私には、新しいことにチャレンジする起業家を応援するような投資銀行を作り、日本経済の発展へ寄与したいという夢があります。お金の問題をサポートし、それによって新設会社や中小企業が成長発展し、日本経済を支えていく。「会社と社長の手取りを増やす手法55連発」は、きっとそこでも力を発揮するでしょう。

55連発のゴーゴーは、自分を駆り立てる呪文です。

本書を活用し、ハイリスク請負業の社長に寄り添う仲間が一人でも増えたら幸いです。

さあ、ご一緒にゴーゴーで、日本経済を活性化していきましょう。

最後になりましたが、本書の出版に際してご指導、ご鞭撻をいただきました新日本保険新聞社編集長の巽文雄さま、編集に際してご尽力いただいた濱田さちさん、本当にありがとうございました。

【著者紹介】
大田 勉　ニッケイ・グローバル株式会社　代表取締役

1963年大阪府生まれ。関西学院大学卒業。生命保険営業マン時代、保険営業界のＭＤＲＴ終身会員であり、最高峰のＴＯＴ資格１回、次のランクのＣＯＴ資格４回を獲得。
「会社と社長の手取りを増やす55連発」を駆使し、事業継続のため、社長の手取り収入の増加、会社の財務体質強化に寄与する具体策は、税理士・銀行マンから聞けない手法と好評。社長のマネーブレインとして、海外金融商品や海外不動産にも精通、型にとらわれないグローバル視点でのコンサルティングが高い評価を得る。
起業家・発明家を応援する投資銀行を作るのが夢。大手コンサルティング会社、保険会社、ＪＡ、不動産会社などで講演多数。

ウィズコロナ時代の税理士を超える
大田式「法人保険販売術」

2020年10月14日　初版発行　　定価（本体1,600円＋税）
2021年 8月 5日　2刷発行

著者　大田 勉
編集　濱田さち
発行者　今井進次郎

発行所　株式会社　新日本保険新聞社
〒550-0004　大阪市西区靭本町1－5－15
TEL　(06) 6225-0550
FAX　(06) 6225-0551
ホームページ　https://www.shinnihon-ins.co.jp/

印刷製本　株式会社　廣済堂

ISBN978-4-905451-95-2 C2033